힘들어하지 마라
다 지나간다

힘들어하지 마라 다 지나간다

ⓒ은하수, 2024

발 행	2024년 4월 1일

지은이	은하수
펴낸곳	모글모글
펴낸이	최지훈
편집디자인	서민경
이메일	floatingboat777@gmail.com
등 록	제2020-100004호

ISBN   979-11-981859-9-0 (13000)

내가 먼저 나를 돌보며 행복하고
즐겁게 살았으면 합니다

힘들어하지 마라
다 지나간다

은하수 지음

모글모글

Contents

Part 1

나는 행운아

내 인생은 즐거워야 한다

나의 인생은 즐거워야 합니다.
당신의 인생도 즐거워야 합니다.
우리의 인생은 즐거워야 합니다.

해도 해도 끊임없는 집안일, 갚아도 갚아도 줄어들지 않는 대출금. 아무리 채워도 채워지지 않는 밑 빠진 항아리를 채우기 위해 전전긍긍하며 살아왔습니다. 드넓은 바다에 조약돌을 던지며 언젠가는 방파제가 완성되리라는 희망으로 열심히 살아가고 있었습니다. 살면서 뒤돌아보니, 귓전으로 바람결에 실려 오는 남들의 사는 이야기도 크게 그 범위를 벗어나지 않는 듯합니다. 그렇게라도 생각해야지, 자꾸만 주저앉고 싶고, 주눅이 든 자신에게 위안을 줄 수 있기 때문일 것입니다.

모든 사람에게는 바람결에조차 실려 보내지 못한 저마다의 가슴 시린 삶의 이야기가 있지요. 저도 그렇습니다. 남들이 보기엔 부족한 것 없어 보이고 근심 걱정 없어 보이지만 쇼윈도 부부로 30년 이상을 살아가며 어린 자녀들을 차마 버리지 못해 죽을힘을 다해 견디며 지금 여기까지 왔습니다. 그러다 보니 어느덧 60을 바라보는 나이가 되었습니다.

　남의 다리가 부러진 것 보다, 내 손톱 밑의 가시가 더 큰 아픔이라는 말이 있지요. 그렇습니다. 남들에겐 별일 아닌 것 같아 보여도 나에겐 엄청난 역경의 시간일 수도 있고, 나에겐 별일 아닌 것 같아 보여도 그 과정을 겪고 있는 당사자에게는 견딜 수 없을 만큼 힘든 상황일 수도 있습니다. 직장 내 왕따, 알바, 술, 부채, 자살 등의 과정을 거치며 젊은 청춘의 시간을 보냈습니다. 이 모든 것을 극복하게 해준 원동력은 무엇이었을까 하는 생각을 해 봅니다.

힘들었던 시절, 자살 시도 이후로 많은 것이 달라졌습니다. 제 마음이 달라졌습니다. 죽을 용기가 있다면 그 용기로 못 할 것이 없다, 그 용기로 살아내자고 마음먹었습니다. 가끔 이런 생각을 합니다. 과거에, 물론 지금도 마찬가지지만 나에게 그런 상황들이 생기지 않았다면 나는 지금 무엇을 하고 있을까? 내가 지금 생각하고 알게 된 것들을 알 수 있게 되었을까? 그 힘들었던 과정이 지금의 저를 더 단단하게 만들었고 저를 더 돌아보는 시간을 만들어 주었습니다.

여전히 나를 힘들게 하는 상황들이 지금도 진행되고 있습니다. 그것이 나에게 힘을 주고 위로를 해주어야 할 가장 가까운 사람으로부터 기인한다면 그 피폐한 심정을 어디에 비유할 수 있을까요? 두꺼비라도 있으면 밑 빠진 항아리 밑에 받쳐두기라도 하면 좋을 텐데, 나에겐 그런 두꺼비도 없습니다. 이번 물만 채우면 돼, 이번만.. 이번만.. 30년을 이번만을 외치고 있었습니다. 깨진 항아리임을 알아차리는데 30년 이상이 걸렸습니다.

긴 시간을 돌아온 지금, 인생에서 가장 중요한 것은 자기 자신이라는 것을 알게 되었습니다. 이젠 꺼내서 바람결에 실려 보내고 싶습니다. 그래야 내가 온전히 숨을 쉬며 살 수 있을 것 같습니다.

남들이 보기에 번듯한 외형적인 모습을 벗고 이젠 저 자신을 찾아가려고 합니다. 기왕에 태어났으니 잘 살아 보려 합니다. 나 자신을 돌보며 즐겁게 살아보려 합니다. 내 인생은 즐거워야 하니까요. 당신의 인생도 즐거워야 합니다. 즐거워야 인생입니다.

저의 허물이 힘들고 지친 당신에게
다시 일어날 용기가 되었으면 합니다.
저에게는 또 다른 용기가 되었으면 합니다.

Part 1

나는
행운아

나는 행운아

작은 시골 마을에서 나는 꽤 공부를 잘하는 학생이었다. 가정형편이 어려웠음에도 불구하고 부모님께 조르고 졸라서 나는 당시 지역에서는 알아주는 여자 고등학교로 유학을 했다. 그때나 지금이나 고등학교 입학부터 대입 준비가 시작된다.

당시 내가 다니던 학교의 학생들은 당연히 대학 진학이 목표였고 나 또한 거기에 올인했다. 당시에는 3개월에 한 번씩 수업료(교납금)와 보충수업비를 내야 하는 시스템이었다. 분기별 학비가 계속 밀리는 상황이니 보충수업비를 낸다는 것은 꿈도 꾸지 못할 일이었다. 다행히 담임 선생님께서 대신 납입을 해 주셨고

학교에서는 성적이 좋다는 사유를 들어 보충수업은 무료로 하도록 배려를 해주었다.

타지에서 유학을 온 학생들이 많았지만 담임 선생님은 유독 나에게 많은 사랑을 주신다는 것을 나는 느끼고 있었다. 그렇게 마음씨 착하고 예쁜 선생님은 토요일 수업이 끝나면 나를 불러 시내 구경도 시켜주시고 수업 시간에 배운 서양 식사 방법을 실습하러 가자면서 경양식집이라는 곳도 데리고 가셨다. 난생처음 먹어보는, 지금도 그 맛을 잊을 수 없는 황홀한 크림 스프라는 것을 처음 먹어보고 돈까스라는 것도 처음 먹어보았다.

1학년 가을이 되자 선생님께서 이민을 가신다고 하신다. 곧 결혼하시는데 남편분을 따라서 미국으로 가신다고 하셨다. 갑작스러운 소식을 듣고 심란했는데 담임 선생님은 그해 겨울이 오기 전 미국으로 떠나셨다. 그리고 나는 2학년이 되었다.

우리 집이 그리 넉넉한 형편이 아니었지만 내가 대학을 포기해야 할 정도는 아닌 것 같았는데 상황은 더욱 악화되어 나는 대학을 포기해야 하는 상황이 되었다. 제일 열심히 공부해야 할, 고등학교 3학년 시절은 그냥 가방만 들고 공부는 하는 둥 마는 둥 하며 학교를 다녔다.

하루는 담임 선생님께서 부르셔서 갔더니 1학년 때 성적표와 2학년, 3학년 성적표를 쭈욱 펴 놓으시고 다시 공부하라고 나를 타일렀다. 2학년 2학기부터 성적이 하향곡선을 그리고 있었다. 뭐든지 우상향이 좋은데 말이다.

나는 어차피 대학을 못 갈 거니 딱히 공부를 다시 하고 싶은 마음이 생기지 않았다. 따뜻한 봄날 주말이면 기차를 타고 친구랑 놀러 다니기 바빴고, 선생님 몰래 영화를 보러 다니기도 했고, 당시 유명했던 시내 음악다방에도 종종 들르기도 했다.

봄부터 초겨울까지 청바지 한 장과 잠바 한 장으로 버텨야 하는 것도 창피하고, 점심과 저녁 도시락 반찬은 1년 내내 오직 김치 하나뿐인 것도 친구들에게 너무 창피해서 혼자서 점심을 먹었다. 그러다 돈을 벌어야 하겠다는 생각으로 2학년 여름방학이 시작되면서 가출을 감행했다.

막상 집을 나오니 달리 갈 곳이 없었다. 그때 터미널 맞은편에 있는 냉면집 출입구에 붙어 있는 "종업원 구함"이 눈에 들어왔다. 본격적인 여름, 휴가 시즌이 시작되는 시기라 터미널과 냉면집에는 사람들이 북적거렸다.

소심하게 쭈뼛거리며 문을 열고 냉면집에 들어섰더니 손님들로 북새통을 이루고 정신이 없어 보였다. 서빙하던 아주머니가 나를 보더니 몇 명이냐고 묻는다. 혼자라고 했더니 자리가 없다고 한다.

"그게 아니고, 종업원 구한다고 해서…"

말끝을 흐렸다. 아주머니 얼굴에 화색이 돌며 손님이 오면 빈자리 안내하고 물부터 갖다주라고 알려 주시면서 얼른 서빙 거리를 내 손에 쥐어 준다. 인사고 뭐고 일단 일부터 했다. 손님들이 빠져나가고 정신을 차릴 때쯤 되자 이것저것 물어보시고는 식당에서 열심히 일해서 돈 많이 벌라고 하신다.

식당에는 온갖 손님들이 다 모여들었다. 냉면 먹는 그 짧은 시간에도 사장님 딸이냐며 치근덕거리는 이상한 사람들이 있는가 하면, 주문도 제각각이었다. 지금은 평양냉면, 함흥냉면이라고 하는 사람들을 보진 못하지만 40여 전 전에는 평양냉면, 함흥냉면이라고 많이들 불렀다. 그때 난 처음으로 평양냉면=물냉면, 함흥냉면=비빔냉면 사실을 알게 되었다. 그걸 외우느라 얼마나 헷갈렸는지.

식당에서 일하며 일하는 아주머니와 함께 한 쪽 구석방에서 먹고 자고를 하며 며칠이 지났다. 불현듯 친구들 생각도 나고 겁이 나기 시작했다.

'여기서 계속 일하면 돈을 벌 수 있을지는 모르겠는데
잘 풀리면 냉면집을 차릴 수도 있겠는데...
하지만 여기서 계속 눌러앉으면...
이러다 고등학교도 마치지 못하겠구나...'

이런저런 생각들이 마음속에서 계속 올라왔다. 며
칠을 더 고민하다가 5일째 되던 날 밤. 몇 개 되지 않
는 소지품을 가방에 주섬주섬 챙겼다. 함께 일하던 아
주머니께는 집에서 가지고 와야 할 것이 있다고 했다.
하지만 아주머니는 내가 돌아오지 않을 것이라는 것을
아는 듯했다. 공부 열심히 하라는 말씀을 하시고는 뒤
로 돌아서 주무신다.

불 꺼진 식당을 조용히 빠져나와 터미널로 향했다.
집으로 가는 마지막 버스에 올랐다.
'그래, 학교로 다시 돌아가자. 잘 생각했어.
엄마한테는 뭐라 하지....'
늦은 밤 집에 들어섰지만, 부모님은 아무 말씀이 없
으셨다. 지금도 궁금하다.

왜 아무 말씀이 없으셨는지...

그렇게 약간의 반항과 약간의 일탈을 행하며 고3의 끝자락을 향해 달려가고 있었다.

고 3, 깊어 가는 가을 어느 날, 친구 엄마가 공무원 시험응시표를 친구에게 전해 주기 위해 학교로 왔다. 마침 친구 엄마는 응시원서를 2장을 가지고 오셔서 같이 있던 나에게 주셨다. 그리고 11월 초 일요일, 지역의 한 고등학교에서 나처럼 대입을 포기한 친구 몇몇이 함께 공무원 시험을 보았다. 그것이 내가 고3 때 시험을 보게 된 계기였다. 그리고 지금도 공무원으로 근무하고 있다.

공무원 시험 합격자 발표는 대입 학력고사 (지금의 수능) 시험 하루 전날에 발표되었다. 강릉시청 게시판에 나와 친구 이름이 나란히 붙어 있는 것을 확인하니 학력고사에 대한 부담도 홀가분 해졌다.

사실 대학 진학을 하지 않을 거니 학력고사를 보지 않아도 되지만 담임 선생님께서 그동안 공부한 게 아까우니 시험만이라도 보는 게 좋겠다고 해서 시험을 보았다.

성적표를 받아보니 약간의 후회가 밀려왔다. 그래도 시험을 봤으니, 대학교에 원서를 넣자는 선생님의 권유에 대학교에 논술시험을 보러 갔다.

참으로 신기한 것이, 시험 보러 가기 며칠 전 아버지가 보시던 수협에서 발행하는 잡지가 있었는데 우연히 내 눈에 들어와서 무심코 읽었다. 그것이 내가 답지에 어렴풋한 글의 순서와 정확한 숫자는 아니지만 동세수치를 인용해 쓸 수 있도록 도와주었다. 이후 대학 합격자 발표가 나고 4년 장학생으로 선발되었지만, 나는 학교에 가지 않았다. 이래저래 나는 담임 선생님의 사랑덕분으로 고등학교를 잘 마칠 수 있었고, 대학교는 자의로 진학하지 않았지만, 우연히 읽었던 아버지의 잡지에서 힌트를 얻어 장학생으로 선발되는 영광도 얻었다.

친구 엄마 덕분에 고등학교를 다니며 공무원 시험까지 합격하게 되어 걱정할 것 없는 앞날이 펼쳐져 있었다. 나의 어린 시절 주변에는 내가 모르는 많은 행운이 나를 따라다녔다. 나는 행운아였다.

첫 출근 : 삼진 그룹 토익반 같다

고등학교를 졸업하고 정확하게 열흘이 지났다. 시청에서 출근하라는 연락이 전보로 왔다. 지금은 사용하지 않지만 그땐 "전보"를 이용해서 출근 통지가 왔다. 설레는 마음으로 꼭두새벽에 버스를 타고 근무지 터미널에 내렸다.

나는 읍에서 살다가 시로 왔는데 어찌 시 단위 터미널이 읍 지역의 터미널보다 못하다는 느낌이다.

내가 받은 첫 느낌.

하~ 이런 곳에서 어떻게 살아갈까?

나도 모르게 한숨이 나왔다.

적어도 내가 학교 다니던 강릉시 정도의 터미널을

생각하고 왔는데.. 아무튼 그렇게 도착한 터미널의 충격을 마음에 담고 택시를 타고 시청으로 갔다.

어마무시하게 생긴 아저씨 한 분이 오늘 첫 출근 통지를 받고 온 사람들을 모아놓고 이런저런 지시를 하고 있었다. 그때 우리 동기는 40명으로, 당시 막 고등학교를 졸업 한 어린 나이의 내 눈에 나이가 꽤 있으신 분들도 있었다. 한꺼번에 40명이 들어온 것이 최초이고 아직까지 그 기록은 깨지지 않고 있다.

부서 배정을 하는데 나는 속으로 "제발, 저 무서운 아저씨 밑에는 가지 말았으면 좋겠다." 했는데 웬걸 내가 그분 팀으로 배정이 되었다. "젠장... "
그 서슬 퍼렇던 아저씨는 총무과 서무팀장이었다. 2개월을 서무팀에서 근무하다가 춘천으로 정식 교육을 받으러 가게 되었다.

나는 예의상 교육 기간에 서무팀 앞으로 그동안 근무하면서 많은 것을 알려 주시고 보살펴 주셔서 감사하다. 교육 잘 받고 열심히 근무해서 시민들에게 봉사하는 사람이 되겠다는 등등 정성스럽게 편지를 써서 보냈더니 그 편지를 부서원 전원이 공람했다고 한다.

그렇게 나의 첫 출근, 공무원으로서의 첫 집합교육을 잘 마치고 복귀했다. 지금은 상상도 못 할 일이지만 그 당시 여자 공무원들의 일과가 너무 뻔하다.

아침 1시간 일찍 출근해서 사무실 책상과 재떨이, 쓰레기통 치우는 청소부터 시작해서 마지막은 직원들이 출근해서 업무 시작하기 전에 커피 타서 돌리고...

언젠가 영화로 나온 삼진 그룹 토익반 여직원들의 일상이 바로 나의 일상이고 당시 여자 공무원들의 일상이었다.

정말 웃긴 일이지만, 한번은 청바지 입고 출근했다가 혼나고, 파란 색깔 치마를 입고 출근했다가 선배 여직원한테 불려 가서 엄청나게 혼났다.

기본메뉴가 검정, 회색, 군청색이다. 그걸 모르고 우리 동기들은 알록달록하게 입고 다니다가 혼쭐나는 일이 다반사였고 요즘 것들은 말을 안 듣는다, 제멋대로다라는 소리를 들으며 적응해야 했다. 우중충해야 살아남는다. 튀면 죽는다.

그해 여름엔 대학에 진학한 친구들이 여름방학을 맞이해서 대거 고향으로 내려와서 유일하게 직장생활을 하고 있던 나에게 삼삼오오 몰려와서는 1박 2일, 2박 3일씩 나의 자취집에서 놀다가 가기도 했다.

그러면서 나는 그녀들과 점점 대화의 공통 분모가 그리 많지 않다는 것을 느끼게 되었다. 학생운동을 하는 친구들의 이야기로 서로의 의견을 나누며 나의 집을 들락거리더니 늦여름이 되자 학교로 돌아가기 위해 분주한 그들의 시간을 보내고 있었다.

겨울방학이 되자 또 몇 명씩 무리를 지어 나를 방문했고, 눈 내리는 겨울엔 남자 동창의 헤어진 여자 친구까지 찾아와서 그녀의 남자친구를 만나기 위해 며칠씩 나의 자취집에서 머물나 가기도 했다. 지금 생각하니 재미난 추억들이다.

그렇게 1~2년이 지나게 되니 나도 타지에서의 생활과 직장생활에서도 어느 정도 익숙해져 가고 있었다. 그즈음 나의 마음 한구석에서 나도 야간대학이나 방송통신대를 다녀야겠다는 생각이 스멀스멀 올라오고 있었다.

하지만 학교는 멀고 놀거리는 가까웠다, 같은 고등학교를 졸업하고 같은 직장에 근무를 하게 된 몇 명의 친구들과 당시 시내에 유일하게 있었던 커피숍과, 경양식집에서 퇴근 후면 날마다 만나서 수다를 떨고 가끔은 나이트클럽에 가기도 하며 사회 초년생 시절을 보냈다.

내 발등 내가 찍었네!

20살에 직장생활을 시작하니 친구들에 비해 나는 빠른 결혼을 하게 되었다. 당시 남편은 시청에 근무하고 있었고 나는 동사무소에 근무하고 있었다. 퇴근할 때쯤이면 항상 전화해서 방송통신대에 입학하라고 권유했고 자료도 전달해 주었다.

남편의 친구들도 옆에서 같이 거들면서 열심히 나에게 정성을 쏟는 것을 느끼게 되었다. 공무원이 아닌 다양한 분야에 있는 남편의 친구들을 만나보니 폭 넓은 인간관계를 갖고 있는 남편이 대단해 보였다. 그렇게 사내 연애를 시작하고 24살에 결혼을 하게 되었다.

하지만 나에게 기대가 컸던 엄마는 내가 너무 일찍 결혼하는 것을 너무 섭섭해하셨다. 좋은 선 자리가 계속 들어오는데 만나보지도, 엄마의 말을 듣지도 않고 내가 연애해서 결혼한다는 것을 못마땅해하셨다.

아버지의 반대는 더욱 심했다. 아버지는 막내딸의 남편 될 사람이 집으로 인사를 왔는데 인사를 받지도 않고 나가 버리셨다. 너무 나이 많은 사람하고 결혼하는 것이 맘에 들지 않으시다고 하시지만 정확하게 반대의 이유를 말씀하시지는 않으셨다.

사실 나는 공무원 면접을 볼 때 근무 희망 지역 1순위를 동해시로 신청했다. 집이 가난했던 것도 싫었고, 그렇다고 집에서 멀리 떨어져서 생활하기 싫어서 멀지도 가깝지도 않은 동해시를 선택했다.

집에서 좀 벗어나고 싶었고 몇 년 근무하다가 고향으로 돌아갈 생각이었지만 남편을 만나 연애를 하고 되었고 타지에 혼자 있는 나에게 너무나도 잘 대해주고, 직장에서 두 사람의 관계를 모두 알고 있으니 그냥 그렇게 결혼해야 하는 것이 맞는 것 같았다.

그리고 결혼하면 타지 생활이 외롭지 않을 것 같았고 공무원으로 맞벌이하면 큰 부자는 아니더라도 지긋지긋한 가난에서 벗어나 안정적으로 잘 살 수 있으리라 생각했다. 그렇게 1990년 4월 벚꽃이 눈처럼 흩날리는 어느 봄날에 결혼식을 올렸다.

나와는 7살 나이 차이가 있는 남편은 그동안 모아둔 돈이 없었다. 그렇다고 시댁이 넉넉해서 전셋집을 얻어 줄 형편도 되지 못했다. 겨우겨우 50만 원의 보증금을 마련하고 월 8만 원의 월세로 춘천시 옥천동 단독주택에 세를 들었다. 33년 전이라 월 8만 원의 월세가 그리 싼 것은 아니었지만 집 수리를 해서 깔끔했다. 다만 부엌을 가려면 밖으로 나와서 들어가야 하는 그런 집이었다. 나의 직장과는 조금 멀기는 하지만 남편의 직장과 가깝다는 점이 맘에 들었고 시내에 자리 잡은 위치도 맘에 들었다.

이듬해 첫째 아이가 태어나고 남들처럼 그렇게 신혼 생활을 할 수 있으리라고 생각했다. 며칠 전부터 남편이 잠을 뒤척인다. 뭔가 큰 고민이 있어 보인다. 몇 날 며칠을 뒤척이는 원인을 알아야 했다. 어느 날 퇴근 후에 작심하고 물어보았다.

"무슨 일 있어?
며칠 동안 계속 잠을 못 자는 것 같은데?"
남편은 아무 일 없다고 한다.
"아무 일이 없는데 왜 잠을 못 자?
얘기해 봐, 같이 풀어나가야지"
남편은 그제야 말한다.
교보생명에서 1,000만 원을 대출받아서 주식을 했는데 주식은 깡통이요, 대출금 상환을 해야 하는데 갚을 돈은 없고 지금 연체가 되어 있다고...

한때 한전 주식이 전 국민 공모주로 떠들썩하던 때가 있었다. 너도나도 주식 열풍이 불었다. 직장에서도 모두 하니 안 하는 사람은 시대에 뒤처진 듯한 분위기였다. 이후 남편은 보험회사에서 대출받아 주식에 투자한 듯하다. 결혼 전의 일이니 알 길이 없다. 갚아야 할 대출이 1,000만원.

내 생애 최초의 적금 만기가 3개월 후인데 그것도 500만 원밖에 되지 않는다. 눈물을 머금고 적금을 해약하고 부족한 금액은 상호신용금고에서 대출받아 보험회사의 대출금을 갚았다.

그것이 시작인 것 같다. 내가 남편에게 비빌 언덕의 빌미를 제공한 것이다. 이것이 빈곤의 나락으로 가는 악순환의 첫 출발점인지 나는 미처 깨닫지 못하고 있었다.

그런데 참 신기하다. 나는 생생히 기억하는 이 사실을 남편은 전혀 기억나지 않는다고 한다.
정말일까?
원래 맞은 놈은 기억하지만,
때린 놈은 기억에 없다더니...

신혼여행에서 있었던 일도 본인은 전혀 기억에 없다고 한다. 결혼 전 시어머니께서 용하다는 점쟁이한테 물어봤더니 절대로 바다 건너 신혼여행을 가면 안 된다고 했단다.

당시엔 해외 신혼여행이 보편화되지 않아서 물을 건넌다고 해봐야 제주도로 가는 것이다. 바다를 건너면 안 된다는 것은 즉 제주도로 가면 안 된다는 말이다. 그래서 굳이 제주도를 고집하지 않았다. 만약에 뭔가 안 좋은 일이 생기면 말을 안 들어서 그렇다고 할까 봐 우리는 그냥 남쪽 지역을 한 바퀴 돌고 제주도는 결혼 후 나중에 가기로 했다.

그렇게 남쪽 지방을 구경하며 다니다가 관광지 기념품 집에 들렀다. 각자 사무실 직원들에게 선물할 것들을 몇 개씩 고르고 있는데 예쁜 목걸이가 보였다. 만지작 만지작 하고 있던 차에 남편도 그것을 보고 있었다. 기회를 잡은 아주머니께서 신부에게 하나 선물하라고 했더니 남편의 말이 기가 차다.

"아니예요, 사무실 여직원 선물할 거예요"

헉! 나는 너무 어이가 없었다.

눈치도 없고 센스도 없고. 몇 년이 지난 후 나중에 그때 그 일이 너무 섭섭했다고 이야기하니 자기는 그런 적이 없다고 한다. 본인에게 불리한 것은 기억에 없다고 하니 참으로 영리한 사람이다.

시작부터가 마이너스다. 결혼하고 나는 이런저런 사유로 6개월, 1년 단위로 이사를 여러 번 반복했다. 몇 번의 이사를 반복하다가 4년 정도 지난 후 아파트에 전세를 들어갔다.

"아이고, 둘이 벌면서 집도 하나 못 사고 겨우 전세로 들어왔네, 고모네는 혼자 벌어도 집도 사고 하는데"

번듯한 아파트에 이사 온 첫날, 시어머니의 핀잔은 한껏 부풀어 올랐던 나의 마음에 커다란 구멍을 내고 말았다.

"아니, 엄마는 무슨 말을 그렇게 해, 둘이 힘들게 벌어서 그나마 27평짜리 아파트에 전세를 들어왔으면 그동안 고생했다고 해야지, 그리고 고모하고는 출발점부터 다른데 무슨 그런 말을 해."

때마침 우리 집에 와 있던 둘째 형님이 시어머니께 한소리를 했다. 내가 하고 싶은 말을 둘째 형님이 대신 해주었다. 시어머니에 대한 서운한 마음이 둘째 형님의 한마디로 한여름 뙤약볕에 흘린 땀을 시원하게 씻어주는 우물물처럼 후련해졌다.

남편 연구

　남편은 유달리 친구가 많다. 남편의 집은 시골 동네에서 70~80년도 당시엔 꽤 번화가였던 신작로를 따라 집들이 나란히 있는 동네에서 자랐다. 그 나란히 붙어 있는 집마다 함께 자란 친구들이 족히 10명은 넘는 듯하다. 그 친구들부터 시작해서 사회생활을 하면서 다양한 계층의 다양한 부류의 친구들이 많아도 너무 많다.

　당시엔 공무원 생활을 하던 남편은 사업을 하는 친구들에게는 더 말할 나위 없이 꼭 필요한 존재였다. 지금은 사라진 제도이지만 옛날에는 대출받기 위해서는 2명의 연대보증이 필요했다. 직장 괜찮은 사람들이 제1순위이다. 그중에서도 공무원이 연대보증인 제1순위다.

은행에서도 "공무원 하는 친구 없어요?"하고 물어본다. 사업하는 친구들이 공무원 친구를 떠올려 보니 내 남편이 제1순위로 낙점이 되었다. 그러니 남편 주변엔 늘 다양한 사업을 하는 친구들이 항상 포진되어 있었다.

남편은 뭐든지 얼리 어답터였다. 한창 휴대폰이 나오던 시기에도 새로운 휴대폰이 필요하다며 본인이 쓰던 휴대폰을 나에게 넘기고 최신 휴대폰으로 바꾸었다. 그런 일이 몇 번 반복되자 나도 화가 났다.

때마침 휴대폰 구매 시 가정용 소형 김치냉장고를 사은품으로 주는 행사가 있었다. 김치냉장고가 없었던 나는 큰맘 먹고 신형 휴대폰을 구입했다. 그리고 위풍당당하게 작지만, 김치냉장고까지 마련했다. 나도 새 물건을 살 줄 아는 사람이다. 남편에게 작은 복수를 했다. 통쾌하다.

다양한 취미는 더 말할 필요도 없다. 낚시를 밤낮으로 다니면서 위풍당당할 수 있었던 것은 내가 워낙 회를 좋아하니 낚시로 잡아 온 물고기로 회를 해줄 수 있으니 자랑스럽게 다녔다. 내가 회를 좋아하지 않았다면 그렇게 낚시하러 다니지 않았을 거라고 말한다.

낚시가 사그라지기 시작하더니 언젠가부터 집안이 온통 돌덩이들로 채워지기 시작했다. 빌라로 이사를 했는데 베란다는 발 디딜 틈이 없고 한번 들어온 돌덩이들은 자리를 차지하면 움직일 줄 몰랐다.

남편은 "수석"이라고 부르고 나는 돌덩이라고 불렀다. 휴일이면 돌을 찾기 위해 산이며, 들이며, 강으로 돌아다녔다. 그리곤 좌대를 만들어서 집안 곳곳에 비치했다. 하지만 집에 가져다 놓기만 했지, 그것을 제대로 돌보지는 않았다. 나 또한 그런 것에는 관심이 없는 터라 돌 볼 마음이 생기지 않았으니 먼지만 쌓여갔다.

나는 집안에 생명이 없는 것들을 가져다 놓으면 집안에 좋은 기운이 돌지 않으니 이제 그만하라고 했다. 보기 좋은 몇 개만 장식용으로 두고 모두 처분했으면 좋겠다고 했다. 하지만 처분은커녕 오히려 돌덩이들은 자기네들이 마치 이 집의 주인인 양 수많은 좌대까지 만들어 가며 점점 더 그 영역을 확장해 갔다.

참다 참다 못한 나는 슬쩍슬쩍 내가 옮길 수 있는 돌들을 집 앞 야산에 갖다 놓기 시작했다. 정작 그 돌덩이의 주인은 그것이 사라졌는지조차 모르고 있었다. 나에겐 돌덩이요, 남편에겐 수석이었던 그것들은 작은 것들은 필요한 사람들에게 주고 덩치 큰 아이들은 여전히 거실을 차지하고 먼지를 뒤집어쓰고 있었다.

남편의 취미가 바뀌었다. 이제는 한약방을 차릴 것인지 온갖 나무뿌리며, 열매들이며, 풀 잎사귀들이 집 안에 쌓이기 시작했다. 효소액을 만든다면서 방 한 칸을 아예 효소 저장고를 만들어 버렸다.

온갖 크기의 유리병과 옹기 단지에는 오디, 산딸기, 매실, 돌배 등등 이름도 알 수 없는 많은 효소를 담그기 시작했고, 관절에 좋다는 나무뿌리, 기관지에 좋다는 나무, 간에 좋다는 나무, 숱한 나무뿌리며 가지들을 가지고 와서는 씻어서 말려서 이 박스 저박스에 담아서 베란다와 방들을 점령하게 했다.

이것 또한 시들해지더니 이젠 나물이며 약초를 캐러 산으로 들로 다니기 시작했다. 어느 해 이른 봄, 늦은 겨울 일요일. 봄 기운이 어느새 골목길을 돌아 겨우내 얼었던 대지를 온화하게 만들고 있었다. 남편은 그날도 예외 없이 약초며 나물을 찾으러 일찌감치 집을 나가고 없었다.

나는 사무실에 출근해서 일을 하고 있는데 전화가 왔다. 남편이 산에서 굴러서 응급실에 실려 갔단다. 부리나케 병원으로 갔더니 다행히 크게 다치지는 않고 머리 부분에 몇 바늘 꿰매는 응급처치를 하고 집으로 왔다. 모자가 필요하단다. 그냥 좀 집에서 쉬었으면 좋겠다만은 굳이 어딜 또 가야 한다고 한다. 비니 모자를 하나 사서 건네줬더니 그걸 쓰고 또 나간다.

남편의 다양한 취미 활동을 뭐라고 하고 싶지는 않다. 내가 힘든 현실을 잊고자 출구를 찾았던 심정으로 영어 공부를 했듯이 남편도 본인이 만들어 놓은 힘든 현실을 취미에 몰두하는 그 순간만큼은 잊고 싶었을 것이다.

하지만 남편의 취미생활은 집이라는 환경을 더욱 어지럽게 만들고 가족들의 공간마저 내주어야 하는 상황까지 만들어 버렸다.

집이라는 곳은 힘들고 지친 내 가족들이 편하게 쉴 수 있는 공간이어야 하는데 남편의 다양한 취미생활의 도구들 때문에 거실이며 방이며 베란다 내 가족이 재충전하는 공간이 아닌 짜증스러운 공간이 되어가고 있었다.

또다시 찾은 취미는 목공이다. 결론적으로 이 목공 취미생활은 더 큰 수렁으로 가족을 몰아넣는 원인이 되었다. 아직도 정신을 차리지 못하고 무엇인가 사업을 하려고 한다.

아이들과 나는 확장하지 말고 취미생활로만 하면 좋겠다고 했지만, 무엇에 홀렸는지 이번에도 동업으로 시작하다가 점점 이상한 방향으로 흘러가고 있다.

퇴직하더니 본인이 타던 투싼과 나의 소나타를 바꾼다. 그러더니 공장에서 목재를 실으려니 투싼이 필요하다고 수시로 전화해서 열쇠를 가지고 사무실 주차장으로 나오라고 한다. 도대체 왜 차를 바꾸었는지 이해가 되지 않았다.

"아니, 차를 왜 바꾸자고 했어?
나는 그냥 타던 차 타고 다니면 되는데"
"어 그래도 투싼이 더 최근 차니까 직장 다니는 사람이 최신 차 타고 다니라고."
"그럼 왜 자꾸 이 차가 필요하다고 해,
본인한테 필요한 차면 본인이 타고 다니면 되지.
나는 소나타나 투싼이나 상관없는데.
수시로 이렇게 일하는 사람 불러서 열쇠를 가지고 나오라고 하면 어떻게 해. 차 다시 바꿔"

항상 이런 식이다. 상대방의 생각은 전혀 고려하지 않는다. 본인의 생각으로 판단하고 그것이 다른 사람들을 위한 것이라고 생각한다.

친절도 사랑도 본인의 방식이 아니라 상대방이 원하는 방식으로 베풀어야 상대방이 고마움을 느낀다. 상대방이 원하지 않는 방식으로 하는 것은 상대방을 질리게 만드는 것이다.

Part 2

밑 빠진 독에
물 붓기

밑 빠진 독에 물 붓기

아무리 아무리 채워도 채워지지 않는다. 밑 빠진 항아리를 고칠 생각은 하지 않고 새어나가는 물보다 빠른 속도로 물을 채우기에 급급하다.

그게 가능한 일일까? 두꺼비라도 있으면 밑 빠진 항아리 밑에 받쳐두기라도 하면 좋을 텐데, 나에겐 그런 두꺼비도 없다.

이번 물만 채우면 돼, 이번에만.. 이번에만.. 30년을 이번에만을 외치고 있다. 깨진 항아리임을 알아차리는 데 30년 이상이 걸렸다.

단란주점

단란주점을 한다. 멀쩡히 직장을 다니던 남편이 옆집 사는 친구랑 5:5로 투자해서 단란주점을 한다고 한다. 물론 모든 명의는 남편 친구의 이름으로 하는 것이다. 1주일 후면 오픈이라 한다.

아니, 이건 무슨 자다가 봉창 두드리는 소리란 말인가? 말리고 자시고 할 타임은 이미 지나갔다. 옆집 사는 친구야 원래 나이트며, 바에서 밴드를 운영하며 그 분야에서 잔뼈가 굵은 사람이니 그 사람이야 그렇다 치더라도 남편은 무슨 이유로 같이 동업하기로 결심했는지 아직도 이해할 수 없다. 이게 모든 봉변의 시작이다.

문제가 생겼다. 절반씩 투자하기로 했던 친구에게서 돈이 제대로 융통되지 않는다고 한다. 내부 인테리어며 각종 집기 등을 위해 돈을 지불해야 하는데 그들의 계획에 문제가 생긴 것이다.

남편은 이미 대출을 내서 돈을 충당하고 있었고 더 이상 돈 나올 구멍이 없으니 나에게 도움을 청했다. 나도 돈을 구할 곳이 없다고 딱 잘라 말했다.

나와의 긴 싸움과 설득은 소귀에 경 읽기가 되어버렸다. 이미 벌려놓은 것이니 마음을 돌리고 없었던 일로 하기엔 시간이 늦어버린 것이다.

몇 날 며칠을 졸라댄다. 하는 수 없이 나는 대출이 가능한 마을금고에서 2,000만 원을 대출받아서 빌려주는 형식으로 넘겨주었다. 말이 빌려주는 거지 그냥 돈을 갖다 바친 셈이다. 어차피 내가 다 갚았으니 말이다.

나는 차라리 내가 직장을 그만두고 단란주점을 운영하겠다고 했다. 어차피 단란주점의 손님들이 남자들일 텐데 시키면 남자 둘이 포스에 앉아 있는 것보다는 여자인 내가 앉아 있는 게 더 나을 거라고 얘기했다. 아가씨들 관리나 손님 관리는 남편 친구가 하고 나는 단란주점 내부와 금전 출납을 맡겠다고 했다.

남편이 펄쩍 뛴다. 절대로 안 된다고. 나도 우겼다 "당신은 얌전히 직장생활하고 내가 하는 게 차라리 나아. 어차피 시작했으니 내가 하는 게 더 나아"
하지만 더 이상 싸울 필요도 없게 되었다.

우여곡절을 겪었지만 이미 주점은 오픈이 되었고 이제는 장사가 잘되길 비는 수밖에 없었다. 단란주점은 그럭저럭 장사가 꽤 잘 되었다. 하지만 단란주점이 잘 되는 듯 보여도 나에게는 어떠한 혜택도 없었다. 오히려 주방 이모가 결근하는 날이면 퇴근 후에는 다음 날 새벽까지 주방을 대신 봐주는 일까지 도맡아 해야 했다.

젓가락, 숟가락 두 벌로 시작한 결혼 생활이라 아이들 공부며, 남편이 중간중간 만들어 놓은 금전적 문제를 해결하기도 빠듯한 생활이었다.

하지만 그 와중에 나는 해안 도로변에 신축 중인 쌍용아파트를 계약했다. 나는 바다뷰를 볼 수 있는 해안 도로변 아파트에서 바다뷰를 보면서 커피 한 잔을 마시는 여유를 상상하며 돈을 모았고 중도금 대출을 받아서 중도금까지 치렀다.

서울에서 난리가 났다고 한다. IMF가 터졌다고 한다. 수많은 기업의 부도와 직장을 잃고 거리로 내몰린 사람들, 가정파탄 특히, 경제적 어려움으로 이혼하게 되었고 노숙을 택한 사람들의 사연들이 연일 방송에서 흘러나오고 있었다.

그때까지만 해도 나는 경제적 문제로 이혼한다는 것에 쉽게 동의하지 못하였다. '돈이 많을 땐 좋아서 같이 살고, 돈이 없을 땐 싫으니 헤어진다는 얘기네, 그건 너무 이기적이다'라는 생각을 가지고 있었다. 남의 일이니 그렇게 생각했던 것 같다.

여기 시골이라고 IMF가 조용히 지나갈 리 만무다. 남편이 사업하는 친구들을 비롯해서 사방팔방에 연대보증을 서 준 것들이 줄줄이 터지기 시작했다. 필요할 땐 입안의 사탕도 꺼내어 줄 것 같았던, 그 많던 친구들은 하늘로 솟았는지 땅으로 꺼졌는지 연락이 되지 않았고 은행마다 독촉장이 날아들기 시작했다. 은행에 가서 사정도 해 보았다. 다른 보증인들도 함께 나누어 갚아야 한다고 주장을 했다. 하지만 2명의 연대보증인 중에서 나머시 한 명은 대부분 거의 무늬만 보증인이었다.

은행에서도 부실 채권을 가장 안전하게 회수할 수 있는 수월한 직장이 공무원이다 보니 제1순위로 남편에게 집요하게 독촉장을 보내고 급여 압류를 시행했다.

남편은 급여 압류를 하게 되면 다른 직원들이 모두 알게 되니 그것만은 막고 싶었던지 은행에 가서 매달 갚기로 약속하고 대출을 남편 명의와 내 명의로 바꾸었다. 기존의 부채만으로도 근근이 살고 있는데 감당하기 어려운 현실이 덤으로 더 주어졌다.

IMF 전에 오픈했던 단란주점은 IMF 이후로 손님이 확 줄어들었다. 하기야 이 마당에 누가 아가씨들이 있는 비싼 술집에 오겠는가. 돈이 있다 한들 이런 사회적 분위기에서 단란주점에 술 마시러 다니는 사람이 몇 명이나 되겠는가. 남편은 받아야 할 외상값도 못 받았다고 한다.

남편에게 물었다.

"가게 처분하면 건질 수 있는 금액이 얼마야?"

"4천 정도 돼"

"그래? 그럼 가게 처분해서 건질 수 있는 금액만 건져, 못 받은 외상값은 어차피 못 받는 거니까 거기에 연연해하지 마. 건질 수 있을 때 건지고 나머지는 다 잊어. 그리고 아무것도 하지 말고 직장만 열심히 다녀, 둘이 착실히 직장 다니면 빚도 갚고 먹고 살 수 있어"

남편은 아무 말도 없었다.

며칠이 지난 후에 남편이 말했다.

"술집 하는 친구가 있는데 아가씨를 데리고 오는

선금이 필요하다고 해서 4천만 원을 거기에 투자했

어, 친구가 돈을 불려서 준다고 해서 그렇게 했어."

나는 말문이 막혔다. 어이가 없었다. 이건 무슨 개

풀뜯어 먹는 소리인가.

2001년 당시 확인된 금액이 3억 3천이었다. 사업을

하는 사람들이야 목돈이 생길 기회가 있겠지만 아무리

맞벌이한다고 해도 부모에게 물려받은 것 없이 하위직

공무원이 매달 받는 급여로 3억 3천에 대한 원금과 이

자를 헤결하기에는 쉬운 일이 아니었다. 지금의 3억 3

천이 아니라 2001년도 당시의 3억 3천이면 지금으로

환산하면 물가상승률을 감안 한다면 기본 2배 이상,

8~9억 이상은 될 것이다.

깜깜한 밤이 무서운 이유는 앞이 보이지 않기 때문

이다. 앞에 무엇이 있는지 모르니 무엇을 어떻게, 어느

방향으로 어둠을 뚫고 나가야 할지 모르니 두려운 것

이다. 나는 그런 깜깜한 밤의 한가운데에서 한 발짝만 더 내밀면 낭떠러지로 떨어지는 절벽 위에 서 있는 상황이 되었다.

연금 대출이며, 직장 금고 대출이며 모든 대출을 총동원하고 카드론을 비롯해 카드 돌려막기가 시작되었다. 할 수 있는 방법을 총동원 할 수밖에 없었다. IMF로 인해 대출이자는 점점 더 올라가고 제때 상환을 못하니 어떤 곳의 연체이자는 27%까지 올라갔다. 원금을 갚는다는 것은 언감생심 꿈도 꾸지 못할 일이 되었다.

시중에 있는 모든 은행과 제3금융권에 대추나무 연걸리듯 걸려 있는 대출금의 이자만 갚기에도 숨을 돌릴 틈이 없었다. 카드 돌려막기로 근근이 각 은행별로 3개월에 한 번씩 이자를 해결해 나갔다.

지금은 통합되어 사라진 당시 강원은행 창구 직원의 눈빛을 지금도 잊을 수가 없다. 내가 공무원이란 사실을 알고 있는데 3개월에 한 번씩 그것도 몇 번씩 독촉장 보내고 전화를 해야 연체이자를 들고 상환하는 내 모습을 보며 '참 한심하다'는 듯한 눈빛으로 나를 대했다.

등 뒤로 따가운 눈빛을 받으며 "석 달 뒤에 올게요" 하고 나왔다. 그전에는 독촉 전화하지 말라는 의미다. 내가 알아서 은행별로 석 달에 한 번씩 연체이자를 갚을 테니 제발 전화 좀 하지 말라는 의미로 툭 던지고 나왔다.

눈물이 쏟아졌다. 부부 공무원으로 남들이 보면 참 부족할 것 없이 살 수 있을 텐데 어쩌다 나는 은행 직원들의 비웃음을 받아야 하는 것인지, 5~6장의 카드로 머리를 굴리며 돌려막기의 신동이라도 된 듯 열심히 머리를 돌렸다. 그것도 모자라 사채를 빌려 쓰기 시작했다.

당시엔 자동차를 담보로 사채를 쓸 수가 있었다. 그나마 나에게 소형차라도 있었으니 그것으로 담보를 잡고 사채를 빌리고 갚고, 빌리고 갚고를 반복했다. 사채 신청서를 쓸 때는 내 친정 가족들의 주소와 연락처까지 기입해야 했다. 그것이 무엇을 의미하는지 나는 알

앉기에 내 마음은 이미 찢어질 대로 찢어진 만신창이가 되어가고 있었다.

내 생애 첫 집이 될 수 있었던 해안도로 변의 쌍용아파트는 베란다와 방충망 샷시를 마친 채로 한 발짝도 들어가 보지 못하고 고스란히 다른 사람에게 넘어갔다.

아가씨 선금을 위해 빌려주었는지 투자했는지 모를 4천만 원은 어디로 사라졌는지 알 수가 없었다. 물어보지도 않았다. 뻔한 답을 굳이 확인하고 싶지 않았다.

금 모으기 운동

IMF가 한창이던 시절, 전 국민 금 모으기 운동이 펼쳐졌다. 직원들도 당연히 의무적으로 동참해야 했고 매일 매일 실적 보고도 해야 했다. 그야말로 전 국민이 신국채보상운동이 벌어졌다.

그 덕분에 IMF를 조기 종료할 수 있었던 원동력이 되었다. 하지만 나에게는 금 모으기 운동이 나의 암담한 현실을 또 마주해야 하는 가슴 시린 기억으로 남아 있다.

업무를 담당하면서 일일 실적 보고를 하는 것이 문제가 아니라 나 개인의 실적이 없다는 것이 눈치를 보게 만들었다. 정말로 대략 난감해졌다.

아이들 돌잔치 때 들어온 금반지는 이미 진즉에 팔아서 빚 갚는 데 쓰이고 남아 있는 금가락지가 있을 리 만무하다. 나도 실적에 동참해야 하는데 남들이 보기엔 있으면서도 꺼내 놓지 않는 것처럼 보였을 것이다. 그도 그럴 것이 부부가 공무원으로 근무하면서 집안에 금가락지 하나가 없다는 게 쉽게 납득이 갈 만한 이야기는 아니다.

마음이 급해졌다. 한 돈짜리 아니 반 돈짜리 금가락지 하나라도 있어야 하는데 나에게 있는 금가락지라고는 생일 때 친구가 선물해 준 루비가 박힌 18K 반지 하나밖에 없었다. 아마 그것도 순금이었다면 진즉에 팔았을 것이다.

당시에 친구 중의 한 명이 이런 말을 했다. 자기는 생일 선물을 금반지로 하기로 남편과 약속했다고 한다. 매년 금반지 1개씩 받으면 나중에 훌륭한 재산이 될 것이고 혹시 위급한 상황에 활용할 수 있으니 그냥 어정쩡한 선물보다 그냥 금반지로 하기로 했다고 한다.

정말 훌륭한 생각이 아닐 수 없다. 그런 생각을 하고 실천하는 친구가 부러웠다. 그 말을 듣고 홀라당 다 팔아버린, 그렇게 팔아서 빚을 갚아야 하는 상황이었지만, 나 자신이 너무 어리석고 초라하게 느껴졌다.

그래서 그 말을 듣고 나도 금반지 하나를 남겨 둔 생각이 났다. 이거 하나만은 꼭 남겨놔야지. 없다고 생각해야지 하면서 어딘가에 숨겨둔 1돈짜리 반지가 있다는 것을. 그러나 너무 잘 치워두어서 어디에 놔뒀는지 찾을 수가 없었다.

남편이 교육받으며 러시아 여행을 갔던 길에 사 가지고 왔던 호박 목걸이와 함께 치워놨는데 호박 목걸이는 있는데 금반지는 보이지 않는다. 며칠을 구석구석 내가 숨겨두었을 만한 곳 뒤졌다.

드디어 금반지 하나가 내 눈에 들어왔다. 그리 깊숙한 곳도 아니고 장롱 서랍 속 한쪽에 얌전히 있었는데 그게 내 눈에 쉽게 들어오지 않았다.

아마 그 금가락지도 나가기 싫었나 보다. 아~ 나도 내일 마을금고에 가서 금 모으기 동참 대열에 줄을 설 수 있겠구나, 나도 실적을 낼 수 있겠구나~ 안도의 한 숨을 쉬며 다음날이 되기를 기다렸다.

떳떳하게 가슴을 펴고 금 모으기 운동에 동참했고 실적보고서에도 당당하게 이름을 올렸다. 마지막 보물 처럼 지키고 싶었던 그 금반지는 그렇게 대의명분을 가지고 금 모으기 운동에 쓰여졌다.

지인들 모임에서 가끔 그들의 손가락이며 팔에 걸친 금반지며 팔찌를 보이며 남편이 결혼기념일이며 생일 기념으로 해줬다고 자랑하며 나에게 어째 금반지 하나 도 안 하고 다니느냐며 물었다.

나는 그냥 "아. 제가 뭔가 액세서리 같은 것을 하는 것 좋아하지 않아요. 손이나 팔에 그런 게 있으면 불편 해요"라고 말했다. 지금도 여전히 그렇게 말한다.

열 돈 짜리 금목걸이니, 금팔찌니 하는 것을 나는 바라지도 않는다. 금반지 한 돈보다 그것을 살 돈으로 먹고사는 데 쓰기가 더 바쁜 나날이었다.

금 모으기 운동은 그렇게 나에게 상흔을 남겼고 금반지는 나에게 번거롭고 불편해서 끼고 다니지 않는다는 불명예를 갖게 되었다.

밥은 먹고 살아야지

직장의 한 선배가 이런 말을 했다. 아이들 어릴 때 둘이 직장 다니면서 열심히 돈 모을 수 있을 때 돈 모아놔야 한다. 아이들 학교 다니기 시작하면 뭉태기 돈이 들어가니 지금 모아두어야 한다고 했다.

한참 돈을 모아야 하는 시기에 나는 시중 은행이며 마을금고며 사채까지 이자를 갚느라 몸은 물론이거니와 마음의 골은 더 깊어 지고 있었다.

그래도 밥은 먹고 살아야지. 아이들을 돌볼 겨를이 없었다. 첫째 아이가 첫돌이 되기 전에 나는 어린이집에 보내겠다고 했다. 시어머니는 너무 어려서 안 된다고 당신께서 봐주신다고 하셨다. 하지만 워낙 먼 곳에 있는 절에 자주 가시는 터라 온전히 봐주시지는 못하셨다. 때론 1주일, 때론 한 달씩 가시는 경우도 있다.

급히 아이를 돌볼 사람을 구하지 못해서 남편 친구 부인께 아이를 봐 달라고 전화했더니 흔쾌히 데리고 오라고 했다.

당시엔 자가용이 흔하지 않았던 시절이었다. 출근길에 아이를 맡겨야 했기 때문에 아이 애착 장난감과 보행기, 우유와 기저귀를 챙기고 아이를 앞에 매고 버스에 올렸다.

짐이 한 보따리다. 내릴 때가 되어 사람들 틈 사이를 비집고 내리다가 발목을 접질려 넘어져 버렸다. 내 앞에서 대롱대롱 매달린 아이는 놀래서 울고, 나는 일어나 걷지를 못하고. 아이도 울고 나도 울고 길바닥에서 엉엉 울어 버렸다.

아이들은 커가고 공부도 시켜야 하고 빚도 갚아야 하고 사는 게 고통스러웠다. 그러나 밥은 먹고 살아야지 않겠는가.

남편의 지인이 옷 장사를 시작했다. 나도 거기 같이 끼워달라고 했다. 지금에야 인터넷에서 모든 것을 해결하는 시대지만, 당시 70~80% 이상의 가게들은 서울에서 옷을 가지고 와서 지방의 옷 가게에서 다시 디스플레이 해서 팔고 있었다. 브랜드 옷들도 그리 많지는 않았다.

동대문으로 향했다. 백화점에 납품하는 옷인데 검수 과정에서 약간의 하자가 발견된 옷들을 가지고 왔다. 전문가들이나 하자라고 판단하지 그냥 보면 멀쩡하다.

퇴근 후에는 옷 보따리 가방을 들고 아는 가게를 찾아다니거나 소개를 받은 곳에 가서 옷을 팔기 시작했다. 점심시간에는 여직원들을 대상으로 화장실에서 옷 보따리를 풀었다. 몇몇 직원들이 옷을 사주었다. 어떤 직원은 옷이 품질이 좋다며 다음에 또 옷 가지고 오면 보여 달라는 직원도 있었고 옆에 직원을 데리고 와서 같이 팔아주기도 했다. 눈물겹도록 고마운 직원들이었다. 내가 너무 궁상떨고 다녀서 너무 측은해서 그랬는지는 모르겠지만 하여간 정말 고마운 직원들이었다.

1년 반 정도의 보따리 옷 장사는 나에게 많은 도움을 주었다. 석 달에 한 번씩 연체이자를 내러 가던 나를 두 달에 한 번씩 혹은 한 달 반 만에 은행을 순회할 수 있도록 도움을 주었다. 그러나 그것도 잠시였다.

어느 날 화장실에서 친구가 보자고 한다.
"응 왜"
"게시판 봤어?"
"아니 못 봤는데"
"니 얘기 올라 왔드라. 공무원이 장사한다고"
"아 그런 게 올라왔구나!"

나는 시말서를 쓰고 옷 장사를 접어야 했다. 누가 올렸는지는 모르겠지만 공무원이 영리 행위를 한다는 것은 명백한 윤리 위반 행위다.

게시판에 올린 사람은 잘못이 없다. 그러니 그 사람을 탓할 생각도 없다. 게시판을 확인하지 않았다. 변명을 하고 싶어질 것 같았고 더 큰 상처를 받을 것이 두려웠다.

영리 행위를 한 내가 잘못한 것이다. 다만 나는 먹고 살고 아이들 학교는 보내고, 빚을 갚기 위해서 할 수 있는 모든 것을 해야만 했다.

옷 장사를 하지 못하게 되니 다시 대출금의 연체가 계속되었다. 이자 갚는 것도 힘이 들다 보니 원금을 상환할 수가 없다. 원금 상환이 급선무였다. 급여가 조금씩 오르기는 했지만, 물가는 더 빠르게 올랐다. 남편은 급기야 퇴직하고 다른 곳으로 직장을 옮기게 되었다. 얼마 되지 않은 퇴직금을 받아서라도 원금 상환을 해야 이자 부담이 줄어들기 때문이다.

남편의 퇴직으로 부채가 어느 정도 줄어들었으면 얼마나 좋을까? 그러나 그것은 나의 착각이었다. 남편은 연금공단이며 공제 대출, 직장 금고 대출금 등 온갖 종류의 공적 대출금이 원천 징수가 된 후 남은 금액을 수령했기에 남편의 퇴직으로 내가 확보할 수 있었던 금액은 200만 원 정도였다.

200만 원으로 무슨 청산이 되겠는가. 다만 이직을 한 후 달라진 것은 실수령액이 조금 많아졌다는 것 이외에 우리의 생활에는 큰 변화가 없었다. 사실 실수령액이 조금 많아진 것도 2년 정도 지난 후부터는 과거와 다름없는 상황이 되어버렸지만...

옷 장사를 하지 못하게 된 후 나는 퇴근 후에 지인이 하는 식당에서 설거지를 도왔다. 서빙하는 사람이 없거나 손님이 몰릴 때는 같이 거들기도 하고 손님들이 빠져나간 고깃집 식당에서 설거지하는 것을 도왔다. 단 몇 푼이라도 벌어야 이자를 감당할 수 있기 때문이다.

하지만 나는 그것마저 오래 지속할 수 없는 상황이 되었다. 금실 좋은 줄만 알았던 그 식당 부부의 불화로 인해 가게 문을 닫게 되었다.

겉으로는 화려하고 부족한 것 없어 보이던 그 부부에게도 남모를 사정이 있다는 것을 알게 되었다. 참 남녀 간의 문제는 당사자 이외는 정확히 모른다. 어디 남녀 간의 문제만 그러하겠는가?

세상사 모든 게 나의 상식과 나의 관점만으로 판단하고 이야기하지 않는가? 그러니 함부로 남의 얘기를 아는 척하고 나팔을 불고 다닐 필요는 없겠다 싶다. 다 그럴만한 이유가 있겠지. 뭔가 이유가 있겠지.

다단계를 시작했다. 그들은 다단계가 아니라고 했다. 그러나 세상 모든 것이 다단계이다. 내가 속한 조직도 다단계이고 사회 구조 자체가 다단계이다. 시골 도시의 모든 아낙을 거의 광풍으로 몰아 넣은 듯한 사건이다. 암웨이라는 것이다.

비디오 테이프를 보고 가슴이 뛰었다. 아 저렇게만 하면 되겠구나. 나도 부채를 청산할 수 있겠다.

그들이 중점적으로 설명한 것은 일반적인 다단계와 암웨이의 다른 점을 부각시켰다. 그들의 말이 맞는 것 같다. 나는 열심히 제품도 써 보고 주변에 알리기 시작했다. 열심히 교육도 받으러 다녔다. 하루 코스도 있고 1박 2일 코스도 있고 성공한 사람들의 이야기를 듣기 위해 정말 열심히 다녔다.

친정 언니 오빠들을 비롯해 시댁 식구들에게까지 제품을 소개하고 회원으로 만들었다. 어쩌면 나의 집요함이 징글징글했을 것이다. 지금 이 자리를 빌려 죄송한 마음을 전한다.

꿈에 그리던 다이아몬드 계급을 가진 사람을 만났다. 바로 인근 시에서 살고 있었다. 그들의 성공담을 들으며 나도 할 수 있겠다는 용기를 가졌다. 그야말로 당시에는 우리 지역이 암웨이 열풍으로 들끓고 있었다.

어떤 때는 다른 분의 사무실에서 신규회원들이 모이는 자리에 초대받아 제품 시연과 설명을 해달라는 부탁을 받고 강의도 했다.

그러다 나도 제품을 전시하고 나와 뜻을 같이하는 사람들이 모일 수 있는 장소가 필요하다고 생각했다. 1,000만 원을 들여 시내 이주민 상가에 작은 공간을 임대했다. 그리고 제품을 전시할 수 있도록 선반과 제품들을 미리 사들여 전시를 했다. 퇴근 후 나는 거기로 출근하다시피 했다. 이번엔 어쩐 일로 남편도 성심성의껏 나의 일을 도왔다.

아뿔싸, 영동지방에 무장간첩이 나타났다. 오래전 사라진 통행금지가 실시되었다. 그리 오래가지는 않았지만 영동지방 사람들의 나들이 기가 푹 꺾였다. 그래도 통행금지가 해제된 후 다시 활동을 재개했다. 비록 예전만큼은 못했지만 나름 착실하게 전파를 하고 다녔다. 모든 일에는 시기하는 사람들이 있다. 서울 잠실 운동장에서 전국 단위 행사에 참여하기 위해 버스에 올랐다. 나의 휴대폰으로 메시지가 왔다. 차마 입에 담지 못할 욕을 하며 나의 활동을 비난했다. 나는 함께 올라가는 친구에게 보여줬다. 너무 어이가 없어 응답할 가치조차 없다. 누군지 안다. 겉으로는 그야말로 다정하고 남을 걱정해 주는 친절한 사람이다. 그러나 그녀의 이중성을 익히 알고 있는 많은 사람에게서 들은 얘기가 있어서 대응하지 않았다.

때론 무시하는 것이 나의 정신건강에 이롭다. 하나하나 사사건건 따지고 잘잘못을 가리는 것이 당장은 내가 이긴 것 같고 속이 후련해질지언정 대응할 가치기 없는 것은 대응하지 않고 무시함으로써 얻는 마음의 평화가 나의 정신건강에 더 이로울 수 있다.

내가 속한 그룹은 책을 참 많이 읽게 했다. 어쩌면 나는 암웨이 제품보다 마케팅이나 동기부여가 되는 책을 계속 추천하는 맴버들이 더 좋았는지도 모른다.

여태 내가 접해보지 않았던 다른 세계를 만나는 책들이었다. 책을 낭독하며 카세트 테이프에 녹음을 했다. 그리고 다시 들어보기도 했다. 왜 그랬는지 모르겠다. 그냥 책을 낭독하면서 편안함을 느꼈고 현실의 많은 괴로운 문제들을 잊을 수 있고 잠시나마 위로받을 수 있는 시간들이었다.

그 책들 속에서 마음의 안정을 얻을 수 있었고 많은 동기부여를 받았다. 특히 내 자녀들에게 돈의 소중함을 알려 주고 싶었다.

다단계 열풍이 한풀 꺾였다. 나는 힘든 상황에서도 1,000만 원을 투자했고 돈은 잃었지만, 돈을 잃었다기보다는 제품들을 내가 모두 사용했으니 굳이 잃었다고까지는 할 수는 없지만, 어찌 되었든 간에 1,000원만의 돈보다 더 많은 것들을 알게 되었다.

책이라는 소중한 지식과 지혜의 보물 창고를 알게되었다. 어렸을 때 우리 집은 책을 사줄 형편이 아니었다. 5명의 자식을 키워야 했고 배우지 못한 한을 가지고 있던 엄마는 자식들에게만큼은 가르쳐야 한다는 신념을 가지고 계신 분이었다. 하지만 그것은 글을 읽을 줄 알아야 하고 남들한테 속지 않을 만큼 학교 공부를 해야 한다는 개념이었지 시시철철 때를 맞추어 읽을 책까지 사줄 형편은 아니었다.

전국적으로 공무원들의 다단계가 큰 문제가 되었다. 암웨이 회원 가입을 하고 물건만 사서 쓰는 직원들은 별문제가 되지 않았지만, 개중에 나처럼 적극적으로 전파를 하고 다니는 사람들도 꽤 있었다. 그것이 공직 사회에 문제로 대두되었다. 어찌 되었거나 영리 행위를 한다는 것이다.

결국은 징계에 회부되어 경고장을 받고 그 유명한 다단계를 접게 되었다. 이렇게 저렇게 여러 가지를 경험하게 되었다. 다단계를 통해 나는 책을 알게 되었다. 그것으로 족한 일이다. 지금도 가끔은 책을 낭독해 주는 봉사활동을 하고 싶다는 생각을 한다. 아마 퇴직 후에는 그런 일도 찾아봐야겠다고 내 목록 한쪽에 적어 두었다.

또다시 보증

어느 날 신협이라는 곳에서 독촉장이 날아왔다. 아니 아직도 터질 것이 더 남았다 싶었다. IMF 때 그 사달이 난 연대보증 부채로 허덕이는 이 마당에 1천만짜리 보증건이 하나 더 보태기를 했다. IMF 이전에 보증을 선 것이 아니라 그 이후에도 몇 건의 보증을 더 선 모양이다.

더 이상 보증 설 자격이 되지 않을 것으로 생각했었는데 IMF 때 그 사달이 나고 수렁에 빠졌음에도 불구하고 그 이후에도 몇 건의 보증을 더 섰다.

"또 보증 선 것 있어?"

"아니 없어."

"숨기지 말고 밝히라고 할 때 다 밝혀, 다 얘기해"

"진짜야 이제 없어"

그렇게 믿기로 했다. 이젠 더 없을 거라고. 하지만 그 이후부터는 세상에서 가장 슬픈 표정을 지으며 나에게 돈을 마련해 달라고 주기적으로 얘기를 한다. 나라고 무슨 돈이 있겠는가.

그동안 은행이며 금융권에 갖다 바친 돈만 해도 얼만데 그게 어디서 나왔을까. 나도 가용할 수 있는 것들을 다 가용해서 근근이 대출을 갚아가며 먹고 살고 있는데 도대체 이 상황은 언제 끝날 수 있을까?

"더 이상 보증을 설 자격이 안 되니 그건 참 다행이네, 앞으로 제발, 다른 일 벌이지 말고 직장만 착실히 다녀, 그게 가족들을 위하는 거야"

내가 이런 말을 할 때마다 남편은 똑같은 레파토리를 반복한다.

"내가 나 혼자 잘 살려고 하는 게 아니라 가족들을 위해서 빚도 갚고 잘 살아 보려고"

가족들을 위해 보증을 선단 말인가? 앞뒤가 맞지 않은 이해할 수 없는 말 잔치가 계속된다. 아마 사업이 잘되면 보증을 서준 대가로 뭘 어떻게 해주겠다는 감언이설이 분명히 있었을 것이다. 아내나 가족들의 말은 귓전으로 흘려듣지만 남의 말은 너무나 쉽게 철석같이 믿는 성격을 이해할 수가 없다.

또다시 시작된 남편의 보증에 진절머리가 났다. 아주 잘 아는 형님이라 보증을 안 설 수 없었다는 변명을 들으며, 나는 그 아주 잘 아는 형님한테 가서 우리의 상황을 이야기했다. 지금 우리가 너무 힘든 상황이고 우리도 먹고 살기 위해서 그 돈이 필요하니 우리가 갚아가고 있는 만큼의 대출금을 우리한테 다시 갚아 달라고 요청했다. 하지만 결국 다 받지도 못하고 대출금은 고스란히 우리가 갚아나갔다.

Part 3

이래서 죽는구나!

이런 일 저런 일들을 겪으며 상황이 좋아지기는커녕 학비며, 생활비며 지출해야 하는 것들이 점점 더 늘어났다. 하지만 맞벌이로 직장 잘 다니고 딴짓만 안 하면 시간은 걸리더라도 부채는 해결할 수 있을 것 같았다.

직급이 낮다 보니 나의 급여는 200이 채 안 되었다. 이직을 한 남편의 급여도 300가량이었다. 하지만 명세서의 명목소득보다는 이것저것 공제하고 통장에 찍히는 실질 소득은 절반도 안 되게 내 손에 들어왔다. 워낙 남아 있는 부채가 많다 보니 계속 이자에 허덕거리는 삶의 연속이었다.

직장생활 또한 그리 수월하게 풀리지 않았다. 모든 절망들이 한꺼번에 몰려오는 듯했다. 나는 이 모든 것을 잊고 싶었다. 자유로워지고 싶었다.

어른들의 왕따 놀이

시청에서 몇 년간 근무하다가 7급 주무관으로 승진하면서 인사 발령으로 동사무소로 자리를 옮기게 되었다. 무릉계곡 밑에 자리 잡은 동네이다. 지금은 행정복지센터라고 부르지만, 당시엔 동사무소로 불렀고 직원들도 꽤 많이 있었다.

당시 같이 근무하는 여직원들이 6명이 있었다. 점심 당번 직원과 약속이 있는 직원들을 제외하고 주로 함께 점심을 먹었다. 특히 여직원들은 항상 어울려 다니며 점심을 먹으며 수다를 떨면서 스트레스 해소도 하는 시간이었다.

그런데 어느 날부터 분위기가 이상하다는 것을 눈치채게 되었다. 언젠가부터 점심시간이 다가오면 여직원들이 한 명, 두 명 먼저 슬쩍 자리를 뜨고 다른 여직원들이 뒤를 따라 나간다. 그러고는 사무실 앞에서 자기들끼리 만나서 점심 식사를 하고 들어오는데 눈에 보였다.

한두 번 그러는 것이 아니라 몇 주째 계속 그런 현상이 지속되는 것을 보고 나는 이 상황을 어떻게 받아들여야 할지 무척 난감했다. 이것이 소위 말하는 직장 내 왕따라는 것이구나.

나는 한 여직원에게 물었다.
"나 빼고 점심 먹으면 더 맛있나 봐~"
그랬더니 그 직원이 나를 보고 매우 미안해하면서 자기도 어쩔 수 없이 그녀들과 같이 행동하게 되었다고 말한다. 나중에 다른 여직원도 나에게 미안하다고 하면서 자기도 어쩔 수 없이 그들을 따라가게 되었다고 말한다.

그 중에는 꼭 주동자가 있다. 직장 내 화합을 유도해서 분위기를 좋게 만드는 데 가장 큰 역할을 해야 하는 사람들이 그 주동자라는 사실이 나를 씁쓸하게 했다.

가장 연배가 있는 두 명의 선배가 주동이 되어 나를 멀리하게 되었다고 한다. 참 아이러니하다. 그중 한 선배는 같은 학교 동문이라 어쩌면 나를 더 챙겨줄 듯한데 나를 왕따하는 행동에 앞장서고 있다는데, 사람 마음은 참 알 수가 없다는 것을 다시 한번 실감 나게 해주었다.

6명의 여직원 중에서 나를 제외하면 5명 그중에 2명은 어쩔 수 없이 그녀들의 행동에 따라가게 되었다고 나한테 미안하다는 의사를 표시했다. 그리고 나머지 한 명은 그냥 이러지도 저러지도 못하고 눈치를 보기 바쁜 듯했다.

무엇이 원인이었는지 모르겠지만 아마 지금 그들은 그 일을 기억하지도 못할 것이다. 기억한다고 해도 무엇 때문에 그랬는지도 모를 것이다.

그 후로도 이런 현상은 계속되었고 나도 신경이 쓰이기 시작했다. 한 곳에서 같이 근무하는 여직원들이 나를 따돌리는 것을 모르고 지나치면 아무 상처가 되지 않았을 텐데 그 상황을 눈치챈 이상 마음의 상처가 쌓이기 시작했다. 사무실 출근하기도 싫어지고 그들의 얼굴을 봐야 하는 것조차 싫어졌다.

그즈음부터 꿈속에서는 계속 엄마가 나타나기 시작했다. 무엇인가 저세상에서 편치 못한 것이 있는지 무엇인가를 말하려는 듯이 계속 꿈속에서 나를 찾아왔다. 내 마음도 편치 않은데 꿈속에서 뵙는 엄마도 뭔가 편치 못한 듯하다. 그러니 경제적 어려움과 직장 내 불편한 상황 속에 엎친 데 덮친 격으로 내 마음은 더욱더 황무지가 되어가고 있었다.

엄마는 5명의 자식이 모두 성장하고 이젠 좀 살만해졌나 싶었는데 그때부터 계속 아프기 시작했다. 아마 어쩌면 그전부터 아팠지만 살기 위한 몸부림으로 아픔을 표현하지 못했을 수도 있다.

이젠 삶에 지친 고단함을 내려놓고 엄마의 봄날을 찾을 때가 되었는데 그때부터 엄마의 몸과 마음의 아픔이 한꺼번에 엄마를 공격하기 시작했다.

그렇게 입원과 퇴원을 여러 번 반복하시다가 93년도 어느 가을날 엄마는 세종병원에 장기간 입원을 하시고 경과가 좋아져서 퇴원하기로 했다. 엄마의 건강 회복을 기념하고 가족들이 같이 모여 엄마의 퇴원 기념 파티를 하기로 했다. 나는 부천으로 올라갈 채비를 하고 잠자리에 들었다.

새벽녘에 전화벨이 울렸다. 전화벨 소리에 온몸에 소름이 쫙 퍼져나갔다. 머리카락 한 올 한 올이 쭈뼛거리며 서는 것을 느꼈다. 말로 형언할 수 없는 이상한 기운이 내 몸을 관통함을 느꼈다.

이 새벽에 무슨 전화일까? 떨리는 손으로 전화기를 들었다. 그리고 나는 털썩 주저앉았다.

"아니, 왜! 오늘 퇴원하는 날인데 왜! 왜!"

그렇게 나는 엄마를 떠나보냈다. 엄마를 보내는 장지로 가면서 엄마에게 '한글을 가르쳐 주겠다, 냉장고를 사주겠다, 틀니를 해주겠다'며 엄마에게 지키지 못한 약속들과 강릉병원에 계실 때 제대로 간호하지 못했던 일들이 응어리진 채 눈물이 되어 흘렀다.

용하다는 점쟁이가 있다는 얘기를 듣고 옥계의 점쟁이를 찾아갔다. 집안에 신당을 꾸며놓고 있어서 그런 모습을 처음 본 나는 적잖이 당황했다. 점쟁이는 내가 잘 알아 듣지도 못하는 말들을 하며 산이 보인다며 산의 모습과 주변 상황을 나에게 설명한다.

어릴 적 엄마를 따라다녔던 초등학교 뒷산과 주변의 과수원을 설명한다. 맞다. 엄마는 산신을 믿는 사람이었다. 점쟁이는 마치 나의 엄마가 된 듯한 어조로 나에게 이것저것 말씀을 하신다. 나는 산 기운이 좋다는 안인에 있는 산에서 1박 2일로 푸닥거리를 하기로 했다.

중앙시장에서 곱디고운 한복 한 벌과 함께 신을 고무신 등을 사서 산에 올랐다. 먼저 산신령님께 인사를 하고 커다란 솥에 밥을 하고 제사를 지내고 이승의 한을 푸는 의식을 치르며 가져간 옷과 신발을 태워서 저세상에 계신 엄마에게 보냈다.

엄마가 말한다

"힘들어하지 마라. 다 지나간다"

엄마의 위로에 나는 한없이 울며 잘 살겠다고 약속했다.

겉으론 강한 척하고 아무렇지 않다고 생각했지만, 경제적인 어려움과 직장 내 왕따를 고스란히 견디기엔 내가 너무 마음이 약했나 보다. 그런 나를 엄마가 보기에도 너무 딱했는지 나에게 용기를 주려고 찾아왔구나라는 생각이 들었다. 그렇게 엄마의 위로를 받고 나는 어느 정도 마음이 안정되었고 그 후론 꿈속에서 엄마는 더 이상 나를 만나러 오지 않았다.

내가 메타인지가 부족해서인지 왜 그들이 나를 따돌리기로 대동단결했는지 지금 다시 곰곰이 생각해 보아도 잘 모르겠다.

나는 그들이 나를 따돌리는 것에 대해 상처받지 않기로 했다. 대신 점심시간을 나를 위한 시간으로 할애하기로 했다. 빨리 점심을 먹고 나머지 시간은 차에서 휴식을 취하거나 책을 읽거나 영어 CD를 들으며 나만의 시간을 가졌다.

점심을 먹으며 주로 하는 얘기가 남들 뒷담화하면서 수다 떠는 것이 전부인데 밥을 같이 먹는다는 것 이외에 그다지 생산적인 시간이 되지는 않는다.

각종 가십거리와 그들의 공동관심사와는 조금 거리가 생기기는 했지만 그리 아쉬운 것도 없는 상황이 되었다. 그 후로 그녀들도 각자 다른 곳으로 발령이 나서 자연스럽게 그런 현상이 사라졌다.

승진자 이름이 바뀌었다

공무원 사회에서 가장 큰 보상은 승진이다. 지금에야 그렇지 않지만, 과거에는 같은 기수라 할지라도 남자 직원을 먼저 승진시키는 것이 관례였다. 거기에 부당함을 느끼고는 있지만 사회적 관습이 그런 것들을 당연하게 수용하는 것이었고 그 부당함을 꺼내 들 수 있는 상황이 아니었다.

우리 동기들이 승진할 때도 나이많은 남자직원들부터 승진을 시켰다. 우리 동기들 인원은 40명인데 그 숫자는 시청 개청 역사상 가장 많은 인원으로 전무후무한 기록을 가지고 있다.

나의 8급 승진은 동기 여직원들 몇몇과 빠른 승진을 하게 되었지만 그 이후가 문제였다. 7급은 중간 정도의 속도로 승진이 되었지만 6급 그러니까 팀장급 승진에서는 번번이 밀리게 되었다.

남자 동기들은 이미 팀장으로 승진했고 여자 동기들만 남았는데 후배 남자 직원들이 밀고 올라오는 상황이 겹치게 되었다. 나는 워커 홀릭처럼 열심히 일을 했지만, 몇 번의 승진 탈락으로 마음의 상처를 갖게 되었다.

인사 시즌이 되었다. 당시 전문경력관으로 채용되어 근무하고 있던 고향 선배분이 계셨는데 오후에 나를 불러서 방문했다. 왜 부르는지 이유를 모른 채 방문했더니 내일 승진 인사가 나는데 3명이 승진된다고 한다. 그리고 내 이름도 있다고 알려 주었다. 고맙다고 인사를 하고 나왔다. 고향 선배라고 해서 나는 특별히 그분께 나의 승진을 위해 노력해 달라고 부탁하지 않았지만 그래도 고향 후배라고 챙겨주시는 마음에 감사함을 전했다.

다음 날 오전에 인사 발령이 났다. 내 이름은 없었다. 전날 들었던 2명의 이름과 다른 남자 직원의 이름이 들어가 있었다.

선배가 당황했을까 아님 내가 더 당황했을까...

그냥 말없이 반차를 신청하고 나와버렸다. 그리고 집에 와서는 이불을 뒤집어쓰고 소리 내어 펑펑 울었다. 그리고 조용히 혼자서 마음을 달래었다. 그동안 시말서를 쓴 경험도 있고 징계위원회에 회부되어 경고장도 받은 기록이 있어 나의 승진이 늦어진 것일 거라며 스스로를 다독였다.

그런 와중에 외부에서는 나를 무슨 큰 문제가 있는 사람으로 얘기하는 사람들의 소리가 들려오니 아무리 타인의 이야기를 신경 쓰지 말라고는 하지만 나도 평범한 사람인지라 마음의 상처가 더 깊어졌다.

또다시 찾아온 인사 시즌. 과장님이 나를 보며 지나가면서 나에게 근평 1위를 줬다고 자랑하시듯이 말씀하신다. 고맙다고 인사를 했다. 하지만 이번에도 내 이름은 명단에 없었다. 나의 어떤 점이 부족해서 탈락 되었는지 알고 싶었다.

국장님께 찾아가서 어떤 점이 부족했는지 여쭈어보았더니 국장님께서 하시는 말씀에 나는 너무 기가 막혔다.
"니네 과장님이 니를 1위를 안 줬는데…
국별로 1위를 선발하다 보니 그렇게 됐다"

과장님은 분명 나를 1위를 줬다고 했다. 그런데 그게 아니었다. 아마도 내가 그것을 알아보리라고는 생각하지 않으신 것 같다. 내가 뭔가 부족해도 많이 부족했나 보다. 하지만 나에게 거짓 자랑을 하신 과장님이 더 원망스러웠다. 차라리 아무 말씀도 하지 마시지. 그렇게 나는 동기 중에 막차를 타고 팀장으로 승진이 되었다.

열심히 일을 하면 당연히 승진하리라 생각했던 6급 팀장 승진의 막차는 나의 의욕을 상실하게 만들었다. 여기에도 정치가 필요한가 보다.

6급 팀장 승진은 늦었지만 그렇다고 일을 건성건성 할 수는 없지 않은가. 이럴 수도 있고 저럴 수도 있다 라는 생각을 하며 다시 열심히 일에 매달렸다.

하지만 죽으라는 법은 없다. 몇 년이 지나자, 전세가 역전이 되었다. 인사위원회가 개최되고 소견 발표와 질의응답이 이루어졌다. 그동안 해 왔던 일들에 대해 서 브리핑도 했다. 그날 저녁 승진대상자 발표가 났다.

승진대상자 명단에 여자 동기 1명과 내 이름이 올려 져 있었다. 여자 동기중에 6급 승진은 따치를 빗지만 5 급 승진은 첫 차를 타게 되었다.

이래서 죽는구나!

　남아 있는 부채에 점점 더 부채가 쌓여갔다. 아이들은 커가고 한숨만 나왔다. 어디 목돈이 나올 구석이 있어야 원금이라도 상환을 좀 할 텐데... 은행별로 돌아가며 독촉장이 날아오고 남편이 퇴직을 하나 안 하나 상황이 그리 달라지지 않았다.

　어느 날 저녁 시어머니께서 집으로 오셨다. 식탁에 앉으시더니 나에게 말씀하신다.

　"왜 돈을 안 갚는데?"

　"무슨 돈..."

　"애비가 1주일만 쓰고 준다고 100만 원 빌려 갔는데 니가 빌려 오라 한 거 다 안다."

아.. 이건 또 무슨 귀신 씨나락 까먹는 소리인가.

"저는 모르는데요? 언제 빌렸는데요?"

"벌써 한 달이나 됐다."

"나도 절에 시주하기로 약속을 한 돈인데 절에 갈 때가 됐는데 돈을 안 준다. 니가 빌려달라 해놓고 니가 모르나?"

너무 기가 차서 말도 안 나왔다. 어머니는 언제 갚을 지를 얘기하라며 나에게 독촉했다.

"이번 주 토요일까지 갚을게요"

나의 확답을 듣고 어머니는 십으로 돌아가셨다.

남편은 어디에 갔는지 보이지도 않는다.

눈물이 펑펑 쏟아졌다. 정말 단 돈 10만 원이라도 있었다면 바닥에 확 뿌리고 싶었다.

"가지고 가세요!"라고 외치고 싶었다.

식탁에 앉아서 시어머니와 내가 대화하는 모습을 초등학생 아들이 물끄러미 바라보고 있었다.

여름이 오기 전, 늦은 봄 3층 사무실 계단 참에서 밑을 내려다보고 있었다. 하늘은 너무 맑고 아카시아꽃들이 향기를 뽐내고 싶은지 살랑살랑 바람을 일으키며 신선한 향기를 가져다주었다.

이런 날은 일보다는 산으로 들판으로 야외 나들이가 딱 알맞은 날씨였다. 훨훨 바람결 따라 자유롭게 흩날리는 봄꽃들의 자유로움이 나를 조롱하듯이 너무 아름다웠다.

순간 나는 가슴속 깊은 곳에서 무언가 꿈틀거림을 느꼈다. 가정사는 가정사대로 힘들고 지친 데다가 직장생활에서도 번번이 승진에서 밀리는 상황이 몇 번 반복되니 더 이상 견딜 힘이 없었다. 뛰어내리고 싶었다. 모든 것이 끝나면 이런저런 고민도 없어지리라. 뛰어내려야겠다.

"뭐해?"
지나가던 직장 동료가 나를 불렀다.

"네? 아 그냥."

그렇게 순간적으로 나는 뛰어내리고 싶은 충동을 참았다. 그 이후로 정신과 상담을 받으러 다녔다. 처음엔 정신과에 간다는 것이 마치 정신병자로 오인을 할 것 같았다. 하지만 내 맘속의 응어리들을 풀어내고 싶었다.

전문 상담가와 상담을 받으면서 위로를 받고 싶었던 마음이 더 컸다. 누구를 붙들고 내 얘기 좀 들어달라고 할 만한 사람도 없었다. 친정 언니 오빠들은 모두 서울에 살고 나 혼자 덩그러니 떨어져 살고 있고, 언니, 오빠들이나 나도 먹고살기 바쁜 시절이라 각별히 신경을 쓸 마음의 여유도 없었다. 남들이 다 한다는 가족 모임도 없었다. 지금에야 1년에 2번 가족 모임을 하지만 그땐 정말 무소식이 희소식인 시절이었다.

정신병원에 다니면서 상담을 받을수록 내 모습과 상황이 더욱 초라하게 느껴졌다. 의사 선생님은 모든 잘못은 나에게 있다고 한다. 내가 무엇을 잘못했을까... 위로를 받고 싶었을 뿐인데 위로는커녕 상담을 받을 때마다 내 알량한 자존심만 허물어져 갔다. 계속 약을 먹으면서 아 이러다 약에 너무 의존하겠다 싶었다. 나는 위로를 받지도 못하고 정신과 방문을 그만두고 약도 모두 쓰레기통에 넣었다. 나는 그 와중에 영어 공부에 매달렸다. 그렇게라도 뭔가 집중할 것을 찾지 않으면 돌아버릴 것 같았다. 정말이지 남편의 발뒤꿈치도 보기 싫었다.

인사 발령이 나서 다른 곳에서 근무하게 되었다. 잠을 자기가 힘들었다. 한밤중에 가슴이 자꾸 조여온다. 가슴이 너무 아파서 통증 때문에 숨이 안 쉬어진다. 숨이 차서 헉헉거리다가 놀라서 잠에서 깬다. 숨을 쉬고 싶었지만, 숨을 쉴 수가 없는 밤들이 지속되었다. 숨을 쉬지 못해서 죽을 것만 같았다. 아, 이래서 사람들이 죽는구나.

출퇴근길 차 안에서도 슬픈 노래들만 들려왔다. 잠을 자고 싶어서 약국에 들렀다. 수면제를 구했다. 먹지 않았다. 그렇게 먹지 않은 수면제가 한 움큼이 되었다.

유서를 썼다. 아들 얼굴, 딸 얼굴이 떠올라 눈물을 쏟아내며 미안함을 담아 유서를 쓰고 장롱 제일 밑에 넣어 두었다. 나중에 발견해서 읽으라고 제일 밑에 넣었다.

출근해서 하루 일과를 마치고 차에 올랐다. 시동을 걸고 차 안에 누웠다. 그리고 한 움큼의 약을 털어 넣었다. 기분이 몽롱해지면서 몸에 힘이 풀렸다. 차 안에서 흘러나오는 음악 소리도 차츰차츰 나의 귓가에 다가왔다 멀어졌다 하고 있었다.

아이들에게 미안했다. 어린 아들과 딸이 엄마 없이 살아갈 날들을 생각하니 마음이 아팠다. 그러나 더 버틸 힘이 없었다. 경제적 어려움으로 지칠 대로 지쳐 있었고 공무원이라는 신분으로 더 할 수 있는 일들이 없었다. 먹지 말고 쓰지 않는 것 이외는 더 할 수 있는 것이 없었다.

"언니! 정신 차려 봐. 언니, 언니!"
어디선가 우는 소리가 들렸다.
"언니, 내 목소리 들려?"

나는 다시 깊은 잠 속으로 빠져들었다. 시간이 얼마나 흘렀을까. 다시 옆에서 미정이랑 의사가 이야기하는 소리가 들렸다.

"일찍 발견해서 다행입니다. 위 세척은 깨끗하게 잘했으니 당분간 죽을 먹도록 하세요."
"네 알겠습니다. 고맙습니다."
눈을 떠 보니 옆에서 미정이가 연신 고개를 숙이며 의사에게 감사하다고 인사를 하고 있었다. 죽는 것도 내 마음대로 되지 않는구나.

가까스로 정신을 차리고 병원을 나섰다. 후배 미정이는 일찍이 부모를 여의고 혼자 동생을 키우며 살고 있는 착한 동생이다. 재혼한 아버지가 다시 이혼하게 되고 술에 빠져 사는 아버지를 케어하며 아직 어린 동생까지 맡아서 돌보는 소녀 가장이다. 미정이는 나를 차에 태우고 집에 도착해서 거실의 소파에 눕도록 했다. 때마침 귀가한 남편에게 미정이가 말했다.

"언니 약 먹었어요. 당 분간 죽을 먹어야 하니 잘 좀 돌봐주세요."

"네" 남편은 짧게 대답했다.

무슨 일이 일어났는지 남편은 눈치를 채지 못한 것 같았다. 그냥 다만 감기나 혹은 어디가 아파서 약을 먹은 것으로 이해한 것 같았다.

"언니 약 먹었다고요 그러니까..."

미정이가 차갑게 쏘아붙였다. 나는 미정이를 끌어당겼다. 더 이상 아무 얘기 하지 말라고 고개를 저었다.

미정이는 한숨을 쉬더니

"언니 좀 잘 돌봐주세요. 언니 나 갈게"하고 현관문을 나섰다.

나는 남편에게 아무 말도 하지 않았다. 무엇이든지 자기 본인 위주로 해석을 하는 사람에게 이러쿵저러쿵 지난날을 다시 꺼내어 얘기하고 싶지도 않았고 한 공간에서 같이 숨을 쉰다는 것 자체가 나에겐 지옥과 같은 나날들이었다.

아직도 남편은 그때의 일을 알고 있는지, 모르고 있는지 궁금하다. 물어보지 않았다. 묻고 싶지도 않다. 아직도 나에게 친정 식구들한테 돈 빌려달라 하라고 독촉하는 사람에게 아무런 희망과 기대가 남아 있지 않다.

거울 속에 무엇인가 있다

첫째 아이가 초등학교를 입학했다. 둘째 아이는 유치원에 다닌다. 나는 무슨 배짱으로 첫째 아이에게 한글을 가르치지 않았는지 모르겠다. 무지몽매한 엄마의 대표주자라 손가락질해도 나는 할 말이 없다. 한글은 초등학교에 입학하면 선생님이 가르쳐 줄 거로 생각했다. 아주 옛날 엄마다 나는.

먹고 살기 급급했고, 빚을 갚느라 카드 돌려막기에 신경을 쓰다 보니 아이 선행학습을 미처 신경을 쓰지 못했다. 초등학교에 입학하고는 아이가 알림장을 쓰지 못하니 준비물이 뭔지 알 턱이 없다. 학교로 불려 갔다. 선생님께 아이가 글을 완벽하게 모르니 알림장을 쓸 때까지 칠판을 지우지 말아 달라고 부탁했다. 선생님께서 단호하게 말씀하신다.

"학원에 보내세요."

"네, 그건 그런데, 혹시 학교에서 한글을 깨우치지 못한 학생들이 더러 있을 텐데 그런 학생들 가르치는 시간은 없나요."

"그런 거 없어요. 어머니. 학원 보내시라니까요."

"아 네..."

다음날부터 아들은 무척 바빠졌다. 1학기 내내 한글을 떼느라 생전 가보지도 않은 학원이라는 곳에서 한글 배우랴, 새로운 친구들과 학교생활 적응하랴. 내색을 하진 않았지만 무척 힘든 초등 1학년 1학기를 보냈을 것이다. 무지한 엄마 덕에.. 미안 아들

어느 토요일 퇴근해서 집에 와 보니 딸 아이 얼굴이 하얗게 변해 있었고 머리 또한 삶은 라면처럼 꼬불꼬불해져 있었다. 이게 무슨 일이람?

딸아이는 아침마다 내가 화장하는 모습이 신기했나 보다. 토요일이라 유치원도 일찍 마치고 집에 왔는데 엄마는 없고 하니 내 화장품을 마음껏 실험했다. 아주 뽀사시 이뻐졌다.

머리는 두 집 건너에 미용실이 있는데 주인아주머니께서 딸아이를 이쁘다고 파마를 해주신 거다. 부모에게 물어보지도 않고 아이의 머리를 뽀글뽀글하게 만들어 버렸다. 딸아이는 하얗게 변한 자기 얼굴과 뽀끌뽀끌해진 자기 머리를 무척이나 맘에 들어 했다.

아이들만 보면 참 행복하고 즐거운 나날들이었다. 그래 사는 건 힘들어도 아직은 세상 물정을 모르는 아이들의 천진난만한 모습을 보면 나도 같이 즐거워졌다.

아파트 관리비조차 내기가 힘에 부쳐 하는 수 없이 저렴한 단독주택으로 이사를 왔지만, 아이들이 내가 사는 힘이 되는 거구나. 옛 어른들이 자식들 때문에 산다는 말이 이해가 갔다.

아이들이 산타 할아버지는 사실이 아니라는 사실을 알게 된 사건이 발생했다. 크리스마스 며칠 전부터 아들에게 산타 할아버지께 받고 싶은 선물이 무엇인지를 미리 기도를 드려야 한다고 알려 주었다. 그래야 산타 할아버지가 기도를 들으시고 1년 동안 착한 어린이였다는 것을 확인하고 선물을 준다고 얘기했다.

며칠 동안 아들은 잠자기 전에 갖고 싶은 로봇 장난감의 이름을 부르면서 선물로 달라고 기도한다. 그러기를 몇 해를 했는데 어느 해인가 아들은 드디어 산타 할아버지는 부모님이라는 사실을 눈치채고 말았다. 장난감을 포장해서 잠자는 머리맡에 두었는데 아들이 깨어나서 포장지를 어디서 본 것 같다고 한다. 집에 있던 포장지를 사용했는데 그게 그만 들통이 나버렸다.

딸아이도 비슷한 경험을 하고 말았다. 이번엔 포장지가 아니라 사람이었다. 어느 겨울 내가 아파서 병원에 입원했다. 유치원에 다니는 딸아이는 엄마 병간호해야 한다면서 원감 선생님께 병원에 자기를 내려 달라고 했단다. 그때가 크리스마스 이틀 전 이었다. 6살 아기가 병간호가 뭔지 알기나 했겠는가만은 딸아이는 화장실까지 졸졸 따라다니며 아픈지 안 아픈지 계속 물으며 나를 웃게 했다.

유치원에서 크리스마스 선물 배달이 왔다. 산타 복장을 한 원감 체육 선생님이 병실에 있는 딸아이를 찾아와서 착한 어린이라고 선물을 주셨다. 딸아이가 활짝 웃으며 너무 좋아하면서도 산타 할아버지를 유심히 쳐다본다.

그리곤 "산타 할아버지, 우리 체육 선생님이랑 비슷하게 생겼다"한다. 참 눈썰미가 좋다. 나는 "응 산타 할아버지하고 체육 선생님하고 조금 닮기는 했지만, 체육 선생님은 아닌 것 같아."

아이들의 동심은 최대한 지켜 줄 수 있는 데까지는 지켜 주는 게 서로를 위해 좋은 것 같다.

이렇게 아이들과 행복한 추억들을 만들며 살기만 하만 얼마나 좋았을까, 남편은 딸아이 유치원에서 첫 피아노 연주회를 하게 된 날도 다 함께 저녁을 먹기로 했지만, 연주회 시작할 때 얼굴을 보이더니 2만 원을 주고 저녁 먹으라고 하고는 곧장 사라져 버렸다. 낚시를 간 것이다.

나는 연주회를 마치고 아이들과 함께 7층짜리 바다가 보이는 양식집에서 함께 정식을 시켜서 먹으면서 이야기했다.

"아무래도 엄마 이혼해야 할 것 같아.

오늘도 봐봐. 아빠는 낚시 가고 없잖아.

너희들이 아빠가 없는 아이들이니?

엄마가 남편이 없는 사람이니?"

아이들이 화들짝 놀란 얼굴로 나를 쳐다보았다.

"이혼 한다고 해서 너희들이 달라질 것은 하나도 없어. 엄마랑 함께 살면 되고 아빠랑 전혀 못 만나는 것은 아니야. 그냥 아빠랑 따로 산다고 생각하면 돼"

아이들이 적잖은 충격을 받을 것 같아서 변하는 것은 없다고 구구절절 설명했다. 나의 생각보다 아이들은 큰 충격을 받은 것 같지는 않다.

"아 그런 거야. 나는 잘 모르겠어.
엄마가 좋을 대로 해"
초등학교 2학년인 아들이 말한다.
"나도 잘 모르겠어. 엄마가 좋을 대로 해"
2살 어린 딸아이도 오빠를 따라 말한다.

나의 이혼 결심은 결혼한 지 8년이 지난 시기부터 시작되었다. 남편은 죽어도 이혼 못 한다고 한다. 본인의 사전에 이혼이란 단어는 없다고 한다.

아파트에 살다가 형편이 여의치 않아 이사를 했다. 전세금이 조금이라도 싸고 관리비가 들어가지 않는 곳을 선택하다 보니 단독주택 밀집 지역으로 이사를 했다. 아이들에게 좋은 환경을 주고 싶었지만, 사는 게 그리 녹녹하지 않았다.

낚시 이야기가 나왔으니 말인데 남편의 취미는 정말로 다양하다. 좋게 표현하자면 손재주가 많은 사람이고 호기심도 많은 사람이다. 그러니 세상 모든 것을 실험하고 싶었는지도 모르겠다.

첫째 아이가 돌이 채 되기 전이었다. 춘천시에서 근무하던 내가 먼저 동해로 내려오고 다음 해 남편도 옥계에 있는 강원도청 사업소로 발령이 났다.

고향에서 출퇴근하면 되는 거리로 내려온 것이다. 그날은 휴일이라 남편이 당직을 해야 하는데 아침에 잠깐 어딜 다녀와야 한다고 나보고 사무실을 잠깐만 봐달라고 한다. 남편의 사무실은 전에 함께 근무했던 친구도 있고 이미 여러 차례 방문도 하고 나도 공무원이라 기본적인 사항은 이미 알고 있는 터라 잠깐 사무실을 대신 봐 주는 것은 어려운 일이 아니었다.

옥계에 있는 사무실에 도착하자마자 남편은 나를 내려놓고 사무실의 기본 세팅을 마치고 갔다 온다고 하며 나갔다. 그런데 이게 웬일인가 점심때가 지나도 오지 않고 전화를 해도 연결이 안 된다. 결국은 퇴근 시간이 다 되어서야 돌아왔다.

낚시를 갔다 온 것이다. 너무 화가 나서 아이를 업고 걸어 나왔다. 남편은 내 뒤로 느린 속도로 차를 몰면서 나를 따라오며 계속 차에 타라고 한다. 미안하다고 하면서 차에 타고 집에 가서 얘기하자고 한다.

정말 뭐 이런 사람이 다 있을까 싶었다. 아이를 업고 톨게이트까지 걸어서 나왔다. 그다음은 고속도로라 하는 수 없이 차에 올랐다. 아무 말도 하지 않았다. 정말 무슨 생각으로 사는 사람인지 모르겠다.

그때는 아파트에 살았었는데 당시의 아파트 베란다는 웬만한 낚시 방보다 더 많은 낚싯대와 장비들로 꽉 차 있었다. 낚시 방 차리겠다는 소리는 왜 안 했는지가 궁금할 정도다.

그렇게 몇 해가 흐르고 단독주택에 살 때 낚시 방에서 친구며 동료들끼리 고스톱을 하는 것을 알게 되었다. 밤늦게, 새벽에 집에 들어온다. 그땐 디지털 키가 아니라 열쇠로 문을 열어야 하고 문을 열면 바로 사람들이 왕래하는 골목길이어서 잘 때는 문을 걸어야 한다. 새벽에 문을 열어주기 위해 잠에서 깨야 하니 이것도 여간 번거로운 일이 아니다.

"차라리 집에 들어오지 마. 어느 날 경찰이 낚시 방을 기습하면 내가 신고한 줄 알아"

그렇게 엄포를 놨다. 그다음 날 새벽엔 진짜로 집에 들어오지 않았다. 일찍 출근해야 하는 상황이어서 차를 몰고 출근하는 길에 반대편에서 남편의 차가 집으로 가는 것이 보였다. 참 아내의 말을 잘 듣는 사람이다.

죽는 것도 내 맘대로 되지 않고 이혼은 남편의 사전에 등재되어 있지 않은 단어라고 한다. 그때 당시 남편의 논리는 이렇다. 팀장인 본인이 이혼하면 직장에서 자기를 어떻게 생각하겠느냐? 팀장이 팀원들을 통솔하고 해야 하는데 이혼했다고 하면 팀장 말을 듣겠느냐?
사회생활 하는데 사람들이 자기를 어떻게 생각하겠느
냐? 실패자니 낙오자니 하는 수식어가 붙지 않겠느냐?

그렇다. 다른 사람들의 시선이 최우선이다. 입으로
는 가족들을 위하고 잘살아 보기 위해서라고 하지만
그 당시에도, 지금도 남편의 모든 행동은 남들의 시선
이 최우선이다.

스트레스를 없애고 우울한 마음에 빠지지 않기 위해
영어 공부를 했지만 쉬이 나아지지 않았다. 그러다 보
니 아이들이 자고 있는 동안 날마다, 밤마다 술을 마시
며 울며 지내는 날이 계속되었다.

이렇게 사는 게 무슨 의미가 있나 싶기도 하고, 나는
왜 이렇게 사나 싶어서 서럽고, 왜 결혼했을까 후회하
면서 밤마다 눈물을 흘리며 술을 마셨다. 아침에 일어
나면 눈이 퉁퉁 부어 있었다. 직원들 회식이면 필름이
끊길 정도로 술을 마셨다. 그래야 살 것 같았다. 그래

야 힘든 상황을 견딜 수 있을 것 같았다. 필름이 끊기는 횟수가 잦아지는 것을 느꼈다. 이러다 큰 실수를 할 것만 같았다. 다른 사람들에게 피해를 줄 것만 같았다. 그래서 집에서 술을 마셨다. 그 시간만큼은 모든 것을 잊고 해방된 기분을 느낄 수 있었다.

어느 날 불 꺼진 방에서 혼자 울면서 술을 마시고 있었다. 문을 열면 이어지는 골목길의 가로등이 환하게 집 창문을 비추고 있었다. 가로등의 밝은 불빛이 잠을 이루지 못하게 했다.

이런 생각 저런 생각 하면서 울다가, 이젠 내가 술을 마시는 것이 아니라 술이 나를 마시고 있는 듯했다. 문득 고개를 들었다. 화장대 앞의 거울 속에 무엇인가 반사되고 있었다.

'아 저건 뭐지... 저 헝클어진 형체는 뭐지?
괴물이구나. 거울 속에 괴물이 있구나'
거울 속 나의 모습은 인간의 모습이 아니었다.

거울 속에는 자존감 따위는 없고 그저 술에 찌들어서 현실을 외면하고자 몸부림치는, 더 이상 애처롭지도 않은 괴물이 들어 있었다.

그 괴물이 나를 보고 있었다. 나를 더 파괴하라는 듯 나를 유혹하고 있었다. 그리고 나를 보고 말했다.

'계속 술 마시면 속이 좀 후련하니?

이렇게 사니 좀 살 만하니?

계속 이렇게 살고 싶은 거니?'

거울 속의 괴물이 나를 조롱하고 있었다.

주변의 모든 사람들이 나를 조롱하고 있는 듯했다.

갑자기 정신이 확 들었다.

아… 이렇게 사는 것은 사는 게 아니구나.

정신 차리자.

이렇게 살다가는 정말 알콜 중독이 되겠구나.

저 잠자고 있는 아이들은 누가 돌보겠는가.

나는 엄마다.

내가 정신을 차려야 제대로 살 수 있겠구나.

아이들도 제대로 돌볼 수 있겠구나.

마시다 남은 맥주와 소주들을 모두 싱크대 속으로
버렸다.

Part 4

무엇을 위해 살았나!

열심히 살았다. 정말 쉬지 않고 먹고살기 위해, 직장 생활에서 뒤처지지 않기 위해 무엇인가를 열심히 하면서 살았는데 손에 잡히는 것도, 남은 것도 없는 듯하다. 무엇을 위해 나는 이렇게 열심히 살았을까 하는 생각이 든다.

오랜 결혼 생활을 하다 보면 서로 각방을 쓰는 사람들이 많다. 주변에도 별다른 문제가 없어도 서로 편하니 각방을 쓴다고 한다. 하지만 서로 작은 문제가 발단이 되어 각방을 쓰게 되고 대화도 없어지고 그러다가 자연스럽게 부부이지만 부부가 아닌 듯 애매모호한 관계가 지속된다.

윈도우 부부가 대부분 이러한 절차를 거치지 않을까 생각한다. 하지만 부부가 동일계열의 직장에 있다보면 아무리 윈도우 부부가 아닌 척해도 알만한 사람들은 낌새를 눈치챈다. 참 사람들의 안테나가 정말 대단하다. 대단하다 못해 존경할 지경이다.

어쩌다 휴직

큰 행사를 앞두고 춘천으로 직무 교육을 갔다. 10월 달 행사이지만 5월에 미리 교육받고 준비해야 해서 마침 교육원에서 시행하는 국제교류 관련 교육을 신청해서 참가했다.

그때 당시에는 1년간 장기 교육을 받고 있는 선배들이 있어서 1주 내지 2주 정도의 단기 교육생들이 오면 장기 교육 (일명 장기수) 선배들이랑 단기 교육생들이 함께 시내에서 저녁을 먹는 것이 관례화되어 있었다.

나 또한 교육 2일째 되던 날 선배들과 함께 춘천 시내에서 저녁을 먹었다. 그날은 컨디션이 좋지 않아 다른 직원들은 저녁 식사 후 2차를 가고 나는 약국에 들러 약을 사서 교육원으로 돌아가기 위해 택시를 기다리고 있었다. 당시엔 콜택시가 없었는지 정확하게 기억이 나지 않지만 아무리 기다려도 택시가 오지 않아 지루하기도 하고 불 꺼진 상가 건물 안팎을 왔다리 갔다리 하면서 택시를 기다리고 있었다. 식사 장소가 시내가 아니어서 사람들의 왕래도 별로 없었다.

건물 안팎을 왔다 갔다 하던 순간, 아차! 발을 헛디뎌 1층에서 지하로 연결되는 계단으로 굴러떨어졌다. 지하로 떨어지면서 내 몸이 뒹굴면서 나는 무엇인가에 세게 부딪혔다.

"쾅!".

순간 정신을 잃었다. 그러다 겨우 정신을 차리고 일어나려고 했으나 몸이 움직여지지 않았다.

'아 여긴 지하인데... 아무도 오지 않을 텐데...'

"사람살려!! 계세요!! 여기 사람있어요!"

죽을힘을 다해 소리쳤다. 그러나 나의 목소리는 지상까지 올라가지 못한 듯하다. 소리를 지르는 나에게도 겨우 들릴 듯 말 듯 했으니 말이다.

'나를 발견하지 못할텐데...
내일 아침까지 아무도 나를 발견하지 못할 텐데'
반드시 지상으로 올라가야 했다. 죽을힘을 다해 엉금엉금 기어서 지상으로 올라갔다. 무슨 힘이 났는지 모르겠다. 반드시 지상으로 올라가야 한다는 생각뿐이었다.

그렇게 보이지 않던 택시가 내가 지상에 올라가니 마침 빈 택시 한 대가 오고 있었다. 죽을힘을 다해 택시 뒷좌석에 앉았다. 그리고 앉은 자세에서 움직이지도 못하고 말했다.

"기사님, 제일 가까운 병원으로."
"어디 아프세요, 몸이 많이 불편해 보이던데..."
"예, 못 움직이겠어요, 병원으로 데려다주세요"

들릴 듯 말 듯 희미한 목소리로 말했다.

"계단에서 지하로 굴렀는데 움직이지 못하겠어요."

기사님이 병원에 미리 전화해 두었는지 성심병원 응급실 앞에 도착하자 간호사 한 분이 휠체어를 가지고 나왔다. 부축을 받으며 휠체어에 타고 병원으로 들어갔다.

간호사들의 도움을 받아 엑스레이 촬영을 마치고 그대로 병원 침상에 누워서 결과를 기다렸다. 의사가 다가온다.

"집이 어디세요?"

"네, 동해시예요"

"집 근처 큰 병원이나 아니면 서울 큰 병원으로 가시는 게 좋겠습니다."

"왜요?"

"허리뼈가 완전히 부러져서 큰 수술을 해야 합니다. 정밀 검사도 필요하고. 집이 여기가 아니고 어차피 외지니까 춘천에서 하시는 것보다는 서울로 가시는 것이 좋겠습니다.

소견서를 써 드릴 테니 가지고 가시면 됩니다"

앞이 캄캄해졌다. 일단 남편에게 전화를 하고 상황을 알렸고 남편은 춘천에서 교육을 받고 있는 나의 일행에게 소식을 알렸다.

남편이 이리저리 수소문해서 서울 백병원으로 가기로 하고 나는 춘천에서 구급차로 서울로 향하고 남편은 동해에서 서울로 향했다. 이동 중 구급차에 함께 탄 간호사와 남편이 계속 통화를 하였고 최종적으로 강남 세브란스 병원으로 이동하기로 결정되었다.

한밤중에 강남 세브란스 병원 응급실에 도착하고 응급실 어딘지 모를 구석에서 꼼짝달싹도 하지 못한 채 누워서 새벽을 맞이했다. 남편이 도착해서 절차를 마치고 다음 날 오전에 병실을 배정받고 엑스레이와 CT 촬영 등 많을 검사가 진행되었다. 담당 의사 선생님께서 자연 상태에서 진행 상황을 본 후에 수술하는 게 좋겠다는 의견을 주어 2주 동안 꼼짝도 못 하고 진통제 등 주사만 맞으며 누워 있었다.

옆으로 누울 수도 없고 일어나 앉을 수도 없고, 이미 부러진 허리 통증에 보름 동안 누워만 있으니 사고로 아픈 허리인지, 누워만 있어서 아픈 허리인지 구분을 할 수 없었다.

결국은 2주가 지난 후에 수술을 하기로 결정했다. 허리가 그야말로 뚝 부러졌는데 왜 2주간이나 그냥 누워만 있게 했는지 잘 모르겠다. 수술 방법은 보철 물질을 넣는 게 아니라 당시엔 최신 기법인 '콘크리트 기법'으로 시행한다고 했다. 수술 흉터도 거의 남지 않는 최신 기법이라는 설명을 해 주셨다.

수술을 마친 뒤에도 2주간 또 누워서 지내야 했다. 그러니 한 달간 직립보행이 불가한 상태로 진통제를 맞으며 병상에서 누워만 지냈다. 수술 후에는 몸통 전체를 감싸는 석고 보정기를 입고 간병인의 도움을 받아 옆으로 눕기를 시도하면서 버티어 냈다. 3개월 정도 강남 세브란스 병원에 있는 동안 남편은 매주 금요일마다 동해에서 서울 병원으로 왔다. 피곤하고 쉬고 싶었을 텐데도 같은 병실에 있는 사람들과 함께 먹을 수 있는 동해 특산품들을 준비해서 함께 병실에서 나누어 먹기도 했다. 그 기간 동안에 남편은 정말 헌신적으로 병간호를 해주었다.

그해 여름, 딸아이가 중학교에 들어가서 첫 여름방학을 맞게 되었다. 아들은 고등학교에 다니고 있었다. 평소에도 아이들을 알뜰살뜰 챙기지 못하는 것이 늘 마음에 걸렸는데 중학생이 되어 첫 여름방학을 보내게 된 딸아이가 엄마도 없이 긴 여름방학을 어떻게 보낼지 걱정이 되었다.

때마침 친정 오빠의 두 딸이 방학을 맞아 중국으로 단기 어학 연수를 간다고 했다. 올케에게 연락을 받아서 의논하고 딸아이도 함께 보내기로 했다. 문제는 당사자가 그것을 받아들일지가 문제였다.

"아~ 나 가기 싫어. 그냥 집에 있을래"
"음, 서울에 있는 또래 친구들이 어떤 생각을 하고,

어떤 놀이를 하는지 구경한다고 생각하면 좋을 것 같아. 친척 언니들이랑 중국에 놀러 간다고 생각해. 공부하러 간다고 생각하지 말고 엄마가 병원에 있는 동안 한 달만 가서 놀다가 와. 어차피 방학이니까 집에서 노는 것보다는 중국에서 또래 친구들이랑 함께 놀면 더 재밌을 것 같아"

겨우겨우 달래서 인천 여객 터미널에서 배를 타고 웨이하이로 떠나는 날이 되었다. 나는 병원에서 외출 허가를 받고 석고 보정물로 감싼 내 몸은 커다란 잠바로 감추고 배웅을 하였다. 그것이 나중에 딸아이의 해외 유학의 첫걸음이 되었다.

5월 중순에 강남 세브란스 병원에 입원하고 8월 말 즘 되어서 나는 서울에서 동해로 병원을 이전할 수 있었다. 집은 아니지만 그래도 집 근처 병원으로 오니 왠지 마음이 편해졌다. 동해 병원에서 한 달을 더 있다가 퇴원했지만 바로 출근할 수 있는 몸 상태가 아니었다. 10월 말까지 한 달을 집에서 더 요양하였다.

20살에 직장생활을 시작하고 휴식기를 가질 수 있었던 유일한 시간이었다. 다만 건강한 몸이 아니라 아픈 몸으로 어쩔 수 없이 휴직을 해야만 하는 상황이었지만 그것이 지금까지 37년간 직장생활을 하면서 유일하게 장기간 출근을 하지 않아도 되는 어쩌다 휴식을 하게 된 씁쓸한 휴직이었다.

나만의 공간을 찾아서

병원에서 퇴원하고 집에서 몇 주간 쉬었다. 정상적인 활동이 불가한 터라 남편이 이것저것.. 내 머리까지 감겨 주었다. 한 번 망가진 허리는 완벽하게 나을 수 없는 상황이다. 지금도 나이가 들어감에 따라 자연 노화에 따른 아픔도 있지만, 날이 좋지 않을 때는 어김없이 허리부터 아파져 온다.

마음 같아서는 1년 정도 휴직을 하고 몸도 좀 더 추스르고 싶은 마음이 굴뚝 같았지만 1달 벌어 1달 먹고사는 상황이라 몸을 치료하기 위한 최소한의 기간 이외에는 휴직도 더 할 수도 없는 상황이었다.

나의 사고로 인해 남편은 조금은 가정적이 된 듯 보였다. 속으로는 서로가 물과 기름처럼 겉돌고 있지만 남들이 보기엔 그보다 지극정성인 남편이 없어 보인다. 동네 사람들도 그리 생각하고 있다. 그렇게 몇 년이 지났지만 나의 마음 한쪽에는 남편에 대해 쌓여있는 원망과 미움의 감정이 사라지지 않고 해가 갈수록 더 깊어만 갔다.

남편은 공식적인 모임이나 우연히 같이 사람을 만나는 일이 생기면 상대방에게 나를 꼭 소개한다. 멀리 떨어져 있어도 꼭 나를 불러서 소개한다.

"아~ 우리 집사람입니다. 어디 어디에 근무하고 있습니다." 나는 그것이 너무 싫었다. 억지웃음을 지어야 하는 것도 싫었다. 그러다 보니 씁쓸한 미소를 짓게 된다. 함께 공식적인 모임 자리에 나가고 싶지도 않았다. 너무나 다정한 잉꼬부부처럼 행동하는 것 자체가 나를 힘들게 했다. 나를 더 이상 부부 동반 모임이나 기타 공식적인 자리에 부르지 말아 달라고 했다.

너무 억울했다. 내가 흥청망청 돈을 쓰거나 유흥비로 탕진하거나 그런 생활을 해서 이런 경제적 어려움을 겪어야 한다면 마땅히 벌을 받아야 한다.

하지만 내가 남편이 만들어 놓은 빚을 갚기 위해 사방에 돈을 빌리러 다녀야 했고, 급전을 구하러 다녀야 했고, 퇴근 후 돈을 벌 수 있는 일들을 찾아야 했다. 은행이며 금융기관에 갖다준 돈만 모아도 지금 사는 지역의 아파트 2~3채는 샀을 것이다. 부부가 함께 직장 생활을 하면서도 이렇게 힘들게 살아야 하는 것이 너무 처량했다.

남편의 뒷모습조차도 보기 싫어졌다. 내 인생에서 이젠 좀 사라졌으면 좋겠다는 생각이 수도 없이 떠올랐다. 남편에게 이혼을 요구했다. 남편은 '아이들이 아직 어리고 한창 공부해야 하는 시기니 부모가 이혼하면 충격을 받아서 안 된다'고 한다. 대학교 졸업할 때까지 못 해준다고 한다.

그 무렵 아들은 대학생이 되어 타 지역으로 가서 학업을 하고 있었고, 딸아이는 미국 LA에서 교환학생 프로그램을 마치고 지역의 고등학교 편입을 준비하고 있었다. 아이들은 이미 부모의 상황을 다 알고 있는데 무슨 아이들 위하는 척을 하는지...

딸아이는 하루라도 빨리 이혼하라고 한다. 엄마의 인생을 찾으라고 한다. 요즘 아이들 쿨하다. 부모 인생은 부모 인생이고 자기들 인생은 자기들 인생이다. 자식 때문에 이혼 못 하고 참고 살았다는 얘기는 하지 말란다. 이러다가 내가 돌이비릴 섯 같았다. 보기 싫은 사람과 한 공간에서 같이 지내는 것이 숨을 턱턱 막히게 만들고 나를 더 힘들게 했다. 나만의 공간이 필요했다. 내가 살기 위해서

짐을 싸서 집을 나왔다. 지어진 지 오래된 작은 아파트를 얻어서 혼자만의 공간을 마련했다. 당시 고등학교 2학년이었던 딸아이도 나를 따라 함께 새로운 공간으로 이사를 했다.

대학 1학년을 마치고 군에 입대한 아들이 첫 휴가를 나왔다. 나는 병영 편지로 나의 근황을 아들에게 알렸다. 첫 휴가를 나온 아들은 나의 새로운 거처로 왔다. 아들의 첫 휴가를 온 가족이 즐거운 시간으로 맞이해야 하는 데 그렇지 못한 것이 너무 미안했다. 그동안 나는 남편에게 내가 어디로 이사를 했는지 알려 주지 않았다. 나의 거처를 알면 딸아이를 핑계로 자꾸 찾아올 것 같았다.

아들의 첫 휴가를 계기로 남편이 나의 거처를 알게 되었다. 4명이 좁은 거실에 앉아서 어색한 저녁 식사를 마쳤다. 나는 내심 걱정을 했다. 아들이 이 모습을 어떻게 받아들일까.

저녁 식사를 마친 후 아들은 이렇게 말한다.
"뭐 세상 사는 사람들의 모습이 다 똑같지는 않지. 여러 가지 사는 방법이 있는데, 이것도 그 여러 가지 방법 중에 하나라 생각해"

그렇다 요즘 아이들은 부모가 이혼하거나 별거를 한다고 해서 세상이 무너진 듯한 그런 생각은 하지 않는다. 아니 요즘 아이들이라 서기보다는 부모가 함께 살면서 힘들어하는 모습을 더 많이 봐 와서 그런지, 아니면 다 자라서 그런지 아이들은 부모의 별거나 이혼을 절대 있을 수 없는 일이라 생각하지 않는다. 도저히 같이 살 수 없다면 헤어지는 게 서로를 위해 더 좋은 선택이 될 수 있다고 생각한다.

나도 그렇다. 예전에 IMF로 많은 가장들이 실직하고 이혼율이 증가했다는 뉴스를 들었을 때 논이 있으면 같이 살고, 돈이 없으면 이혼하는 것은 참 이기적이라고 생각한 적이 있었다. 그러나 살다 보니 내 힘으로 도저히 안 되는 경우가 있다면 이혼하는 것이 건강한 삶을 위해 취할 수 있는 선택이라고 생각이 바뀌었다.

그렇게 나는 살기 위해 나만의 공간을 찾았다. 한 공간에 같이 있어서 더 힘들고 괴로움이 지속된다면 나만의 공간을 반드시 찾아야 한다.

내가 환경을 바꾸어야 살 수 있을 것 같았다. 미치지 않고 건강한 정신으로 살고 싶다면 각자의 공간에서 사는 것이 더 현명한 방법이라 생각한다. 나만의 공간이 주는 편안함이 주는 위안만으로도 정신도 건강해짐을 느낄 수 있다.

그러니 자신만의 공간이 있어야 한다. 같은 집에서 살더라도 나만의 공간은 꼭 만들라고 이야기하고 싶다. 분리된 공간이면 더 좋겠지만 작은 구석이라도 나만의 공간을 꼭 있었으면 좋겠다.

소중한 나의 자녀들

한창 어려운 시기에 아들은 고등학생이 되었고, 딸은 중학생이 되었다. 딸의 이야기부터 해 보려 한다. 중학교 첫 여름방학을 얼떨결에 중국에서 보내게 되었다. 어느덧 개학 시기가 되어 딸은 귀국을 했다. 염려와는 달리 중국 단기 여행은 딸에게 새로운 시각을 갖게 만들었다.

딸은 중국 유학을 결정했다. 딸의 주장은 이러했다.
"엄마 아빠 시절에는 영어만 잘해도 되는 시절이지만 내가 커서 어른이 될 때는 영어는 기본이고 중국어도 해야 하는 시대가 될 거야"
이렇게 주장을 하니 나는 반대할 이유가 없었다.

유학비용이 적잖이 걱정은 되었지만, 적극 찬성했다. 누가 중국이 저렴하다고 했는지... 한국 사람이 이미 한 번 휩쓸고 간 자리는 한국에서 드는 경비나 다를 바 없었다. 위해와 북경에서 딸은 중학교 과정을 마치고 방학 기간에 귀국하여 중학교 검정고시를 치렀다.

강릉에서 검정고시를 치르고 점심시간이 되어 근처 솔밭에 앉아서 집에서 만들어 간 도시락을 둘이 함께 먹고 있는데 마침 영동지역에서 공부 좀 한다는 아이들이 다니는 "강릉고등학교"에 눈에 들어왔다.

"엄마 선배 아들은 강릉고등학교 다니는데...

오빠는 북고를 가서..."

"엄마! 아직 어린 학생이야. 장차 커서 뭘 할지, 어떤 사람이 될지 모르는 일이야. 어느 학교를 다니는지에 따라 미리 사람을 판단하는 건 아니라고 봐"

엄마보다 더 훌륭한 생각을 하는 딸이다. 그런 생각을 잠시라도 했던 내가 부끄러웠다.

지인 중 한 분이 나에게 이런 말을 한다.

"아니 빚도 많고 먹고살기도 힘들면서 뭐 하러 애까지 유학을 보내? 돈 없단 소리 다 거짓말이네"

그런 말을 신경 쓸 필요는 없다. 왜냐면 딸의 판단이 틀리지 않았다고 생각했기 때문이다.

중국에서 공부하던 딸이 전화를 했다.

"엄마 나 외국에서 공부하고 싶어"

"응? 니가 있는 곳이 외국이잖아?"

"아니 중국 말고 미국에 가서 공부하고 싶어."

그렇게 중국에서의 유희 생활을 마치고 딸은 교환학생 선발 시험을 거쳐 다시 미국으로 떠나게 되었다. 비행깃값을 마련할 수 있는 데까지 마련했지만 나의 비행깃값까지는 도저히 마련하지 못했다. 130만 원가량을 더 마련하지 못해서 이제 막 고등학교 입학을 한 딸을 혼자 비행기를 태웠다. 무거운 가방을 잔뜩 끌고 매고 해맑게 웃으며 게이트를 빠져나가는 딸을 보내고 돌아 나오면서 얼마나 서럽게 울었는지 그때만 생각하면 아직도 가슴이 먹먹해진다.

딸이 LA에 도착하고도 남았을 시간이 되었는데도 도착했다는 연락이 없다. 내가 같이 갈걸 하는 후회와 조바심이 나기 시작했다. 2일이 지난 후에야 연락이 왔다. 조그마한 여자아이가 4개나 되는 캐리어를 들고 공항에서 두리번거리고 있으니 지나가던 한국분이 도움을 주셨다고 한다.

마중 나오기로 하신 분이 늦게 도착했다고 한다. 혼자서 장장 14시간이 걸리는 비행기를 타고 외국엘 나갔는데 첫 만남부터 계획대로 진행되지 않았으니 오죽 당황했을까 싶다. 그렇게 애타게 조바심을 내며 딸의 전화를 기다리다가 전화를 받았다. 해맑고 들뜬 목소리로 소식을 전해왔다. 홈스테이에 잘 도착했고 앞으로 다닐 고등학교에도 다녀왔다고 한다.

딸은 LA에서 기차로 1시간가량 더 들어가는 시골 학교로 진학했다. 한국인이 거의 없었지만 주말에는 LA에 가서 교회도 다니고 강원도민 회장님 댁에서 주말을 보내곤 했다. 회장님 부부의 각별한 보살핌으로 할

아버지, 할머니, 손녀와 같은 정을 나누며 미국 생활을 했다. 얼마 전에도 할아버지와 통화를 하고 할아버지는 다른 업무로 내가 사는 곳에 방문하셨다. 사람의 인연이란 참 알 수가 없다. 머나먼 LA에 계신 분이 이렇게 인연이 되어 만나니 언제 어디서 무엇이 되어 다시 만날지 알 수가 없다. 그러니 착하게 살아야 한다.

어린 시절부터 독립심이 강했던 딸은 어느덧 대학을 졸업하고 본인이 원하는 전문 분야를 택해서 사회인으로 자기의 몫을 해내며 잘 살아가고 있다.

사춘기 시절의 소중했던 시간들을 함께 지내지 못한 미안함이 늘 가슴에 남아 있지만 서로의 생각을 존중하고 서로에 대한 믿음으로 우리는 친구처럼 행복한 수다를 떨며 즐겁게 지내고 있다.

아들은 고등학교 2학년 가을이 되자 수능이 어깨를 짓누른 것 같았다. 하기사 대한민국 고등학생 중 과연 몇 명이 수능이라는 제도에 자유로울 수 있을까.

아들은 학교 기숙사에 들어가서 공부하겠다고 한다. 누가 등 떠민 것도 아니고 집으로 왔다 갔다 하는 시간, 집에 오면 왠지 풀어지는 마음 자세를 기숙사에서 친구들과 함께 공부하는 분위기 속에 있는 게 더 낫다는 판단을 한 것 같다. 본인 스스로 판단을 한 결정이기에 나는 적극 찬성하였다.

아들은 토요일에 저녁에 집에 오고 일요일 아침에 다시 학교에 갔다. 토요일 귀가 시 가져온 빨랫감들은 재빨리 빨아서 일요일 오후에 학교로 배달했다. 내가 할 수 있는 일은 그것뿐인 것 같았다.

조용한 성격의 아들은 대학교에 들어가서는 성격이 확 바뀌었다. 적극적이고 활달한 성격으로 바뀌었다. 대학교 1학년을 마치고 군대에 가겠다고 해서 나는 집에서 출퇴근이 가능한 상근으로 신청하면 좋겠다고 했더니 해병대에 가겠다고 헬스를 다니면서 준비를 했다. 드디어 신체검사를 받고 영장을 받아들고는 전 가족이 함께 포항에 있는 신병입소대를 갔다.

그렇게 아들은 해병대를 자진 입대하고 순탄하게 군 복무를 하고 있었다. 2011년 10월 6일은 동해시의 시민 화합 축제인 "동해무릉제"가 개최되는 첫날이었다. 나는 국제교류업무를 담당한 경력이 있어서 해외 자매결연 도시인 러시아 나홋트카 방문단을 담당하게 되었다. 그날, DBS 크루즈를 타고 오신 러시아 나홋트카 부시장님께서 건강에 약간 문제가 있어 병원에서 검진을 하고 있었다. 전화가 울린다. 아이들 아빠였다.

"응 난데, 놀라지 말고 들어."
"응, 무슨 일인데, 니 지금 러시아 부시장님
검진차 병원에 와 있으니 빨리 말해"
"응 저기, 애가 군에서 조금 다쳤대,
그래서 연락이 왔는데."
"아 그래? 체육대회 하다가 발목이나
인대 다치거나 뭐 그런 거구나."
"어. 아니 그게 아니고 좀 많이 다쳤대,
부모님이 와야 한 대."

분위기가 싸해졌다. 남편은 뭔가 말도 더듬는 듯하다. 간단한 사고가 아닌 것 같은 생각이 머리를 스치고 지나간다.

"무슨 일인데, 얼마나 다쳤는데?"

"좀 많이 다쳤대,

헬기로 국군수도병원으로 이송 중이래"

아니 세상에 얼마나 다쳤길래, 얼마나 심각하길래 헬기로 국군수도병원으로 이송을 한단 말인가. 눈앞이 깜깜해졌다. 상사에게 상황 설명을 하고 차후의 진행해야 할 일은 부서 내 다른 팀장님께 부탁하고 남편과 함께 차를 타고 국군수도병원으로 향했다.

국군수도병원으로 가는 도중에 뉴스가 계속 흘러나왔다. 2명의 이 병장이 부상을 당했는데 한 명의 이 병장은 사망했고 다른 한 명의 이 병장은 중태 상태로 병원 이송 중이라고 라디오의 뉴스 시간마다 계속 반복되어 나오고 있었다.

어느 이 병장이 나의 아들이란 말인가.

심장이 멎는 듯한 순간들이었다.

어둑어둑해져서야 성남에 있는 국군수도병원에 도
착했다. 군 관계자들의 설명과 안내를 받으며 병원 안
으로 들어갔다. 그때까지만 해도 우리는 아들의 생사
를 알 수가 없었다.

상급자들이 나와서 설명과 안내를 해주고 수술실 앞
으로 데리고 갔다. 긴급 수술을 들어갔다고 한다.

"오 하나님, 부처님, 세상만사 삼라만상 모든 분께
감사드립니다. 나의 아들이 살아있습니다.

감사합니다."

저녁 9시 넘어서 미이라처럼 붕대에 칭칭 싸여져 침
대에 누운 아들이 실려 나왔다. 의식이 있는지 없는지
도 모르는 아들을 붙들고 얼마나 울었는지 모른다.

그렇게 응급 수술을 마치고 정신이 깨기 시작하자마자 희미한 상태에서 아들은 부사수의 생사부터 물었다. 함께 훈련하던 부사수는 현장에서 심정지 상태로 헬기 이송 도중 사망을 했다. 나는 솔직하게 대답할 수가 없었다. 아직 모른다고 대답할 수밖에 없었다.

다음 날 아침부터 군 당국으로부터 아들에게 사건 경위에 대한 조사가 이루어졌다. 나는 아이가 정신을 좀 차린 다음에 조사를 해주길 부탁했지만, 한밤중에 수술이 끝나 아직 정신도 제대로 차리지 못한 아들에게 아침부터 관계자들의 조사가 진행되었고 아들은 침대에 누워 오락가락한 상태로 조사에 응할 수밖에 없었다.

아들은 첫 수술 이후 잠을 제대로 못 자고 꿈에서 계속 화약이 터지면서 섬광이 번뜩이며 화약 냄새가 난다며 고통을 호소했다. 깊고 깊은 트라우마가 시작된 것이다. 머리와 다리, 몸 부위에 퍼진 파편 제거 수술을 8차례나 시행했다. 터진 고막을 고쳐야 했고 얼굴과 팔과 손에 있는 파편도 제거해야 했다.

국군수도병원에서 얼굴에 있는 파편을 제거하기 위해 3번의 수술을 시도 했지만 쉽게 꺼내지지 않았다. 결국은 외부에 있는 대학병원에서 지난 3번의 수술보다 더 긴 시간을 들여 제거를 했다. 얼굴만 4번을 열었다 닫았다 한 것이다. 파편은 아들의 온몸에 검은 흔적들을 남겼고 특히 손등에 집중적으로 흔적을 남겼다.

손에 들어 있는 파편은 신경을 건들지 않고 제거해야 하는 어려움이 많은 수술이어서 손 부위 신경 수술 전문 병원을 수소문해서 왕십리에 있는 병원에서 3차례 파편 제거 수술을 했다. 그러나 그것도 완벽하게 제거한 것은 아니었다. 손에 들어 있는 파편들을 더 제거하기 위해 계속 손을 수술하는 것은 득보다 실이 더 많을 것이라는 의사의 판단에 따라 손에 모래알처럼 남아 있는 파편은 세월의 흐름에 맡기기로 하였다.

그렇게 아들은 병원에서 제대를 맞이했다. 함께 복무하던 동기들이 제대식을 마치고 병원으로 찾아왔다. 그들만의 끈끈한 정으로 병원에서 조촐한 제대식을 치렀다. 그렇게 제대증을 받았지만 치료는 시간이 더 걸려 2달을 더 병원에서 머물렀다. 나는 개인 연가와 특별휴가를 모두 사용해서 국군수도병원 내에 설치된 자녀 간호병동에서 머무르면서 병원 오픈시간에 병원으로 갔다가 오후 마감 시간이 되면 다시 나오기를 반복했다.

아들과 함께 군 병원 내를 산책하면서 아들의 속내도 들어보고 나의 이야기도 하며 재활 치료를 했다. 아들과 함께 이런저런 온갖 이야기를 나누며 오롯이 둘이 함께 할 수 있는 시간이었다.

아들은 다니던 대학교에 복학하지 않고 자퇴를 신청했다. 군 복무 중에 자신의 앞날과 하고 싶은 일에 대해 많을 생각을 하고 결정했다고 한다.

온전치 않은 몸으로 붕대를 칭칭 감고는 병원에 입원하고 있는 상태에서 한국예술학교에 면접을 보러갔다. 그 몸으로 면접을 보러 온 학생을 보고 면접관들이 놀라지 않았을까 싶다.

드디어 퇴원하고 학교에 다니면서 본인이 배우고 싶은 것들을 열정적으로 배웠다. 나중엔 다른 학교로 편입해서 더 심화된 과정을 배웠고 지금은 1인 기업가로서 본인의 길을 개척하고 성장하며 훌륭한 사회인으로 살아가고 있다.

제대를 얼마 남겨 두지 않고 발생한 사고로 아들은 큰 고통을 겪었지만, 다른 한편으로는 새로운 삶의 자세를 갖게 된 계기가 된 듯하다.

동료의 죽음을 눈앞에서 목격하고 그 동료의 삶까지 함께 더 열심히 살아야 한다고 말한다. 해마다 10월 6일이면 아들은 현충원을 방문한다. 짧다면 짧고, 길다면 긴 군 복무를 함께하다가, 특히 그날 사수와 부사수로 훈련하다가 먼저 떠난 동료를 아들은 마음속 깊이 간직하며 살아가고 있다.

아이들은 나에게 말한다.
자유방임형으로 키웠다고.

실은 그게 아니라 다른 엄마들처럼 아이들에게 오롯이 신경 쓸 겨를이 없었다. 지금 생각하면 미안하기 짝이 없다. 퇴근하고 헐레벌떡 어린이집으로 아이들을 데리러 가면 다른 아이들은 이미 다 집에 가고 없고 우리집 아이 둘만 담벼락에 기대앉아서 둘이 소곤소곤 얘기하며 엄마를 기다리고 있었다. 그런 모습을 보면 눈물이 핑 돈다. 하지만 아이들 앞에서 눈물을 보이고 싶지는 않지만 이런 날들이 반복될수록 아픔이 누적된다. 그 시절 모든 워킹맘들의 애환일 것이다.

부곡동 단독주택으로 이사를 간 이후, 아들은 초등학교를 다니고 딸은 유치원을 다니고 있었다. 아들이 초등학교를 다니게 되니 더 큰 문제가 발생했다.

어린이집이야 늦더라도 퇴근 후에 데리러 가면 되지만 초등학교는 점심시간이 지난 후에 학교를 마치게 된다. 당시엔 방과 후 교실도 없고 오롯이 부모들의 몫이었다. 지금에야 부부 공동육아가 당연하지만, 당시엔 엄마들의 독박 육아가 당연시되던 시절이다.

아들의 초등학교는 집과 거리가 꽤 멀어서 아이가 학교와 집으로 오가는 길이 익숙해질 때까지 사무실에 외출 신청을 하고 학교를 마친 아이를 데리러 다녔다.

하루는 학교 앞에서 아들이 나오기를 기다리고 있는데 나올 시간이 되었는데도 나오지 않았다. 마침 같은 반에 있는 친구의 얼굴을 알고 있어서 교실에 남아 있는 사람이 있는지 물어보았더니 자기가 제일 늦게 나왔고 교실에는 남아 있는 친구가 없다고 한다. 어디로 갔을까? 학교 앞 문방구에 있을까 싶어 갔더니 거기도 없다. 너무 당황해서 학교 교실을 확인했더니 교실에도 없다. 나는 차를 몰고 그동안 학교를 오고 갔던 길을 거슬러 올라갔다. 아무리 살펴보아도 아들은 보이지 않았다. 반대편으로 차를 천천히 몰면서 아들을 찾기 시작했다.

저 멀리서 자기보다 더 큰 가방을 메고 작은 아이가 인도를 따라 천천히 걸어가고 있었다. 무엇이 궁금한지 인도변을 따라 피어있는 꽃들을 들여다보고 풀숲에서 뭔가 신기한 것을 발견했는지 발을 옮겨 풀숲도 들여다보기도 하면서 집을 향해 천천히 걸어가고 있었다. 얼마나 다행인지. 그 안도감이란 겪어본 사람들은 다 알 것이다.

아들이 초등학생 때 쓴 일기에 이렇게 적혀있었다.
"내일은 일요일이다. 나는 일요일이 참 좋다.
왜냐하면 엄마가 회사 안 가는 날이다."

눈물이 핑 돌았다. 직장을 그만두고 싶은 생각이 굴뚝 같았다. 아들이 나에게 말은 하지 않았지만, 다른 친구들은 집에 가면 엄마가 반갑게 맞이하고 간식도 만들어 주고 하는 것이 몹시 부러웠겠구나 하는 생각이 들었다.

한창 부모의 사랑을 받으며 자라야 할 나이인데 집에 와도 반겨주는 사람이 없으니 집에 오고 싶지 않았겠다라는 생각이 들었다. 그런 마음을 담아 몇 문장으로 적어 놓은 것이다.

"나는 일요일이 참 좋다.

왜냐하면 엄마가 회사 안 가는 날이다."

무엇 때문에 나는 이렇게 아이들과 함께 시간을 보내지도 못하면서 아등바등 살고 있나라는 생각이 들었다. 결혼하면 남편과 함께 오손도손, 거창하지는 않아도 남들처럼 휴일이면 아이들과 교외로 놀러도 다니고 놀이터나 운동장에서 가벼운 운동도 하며 재미나게 즐겁게 잘 살 수 있으리라 생각했는데...

아들이 중학교에 입학했다. 1학년 1학기에는 학교 내급식시설이 없어서 도시락을 싸서 학교에 다녔다. 나는 도시락 위에 매일 쪽지 편지를 썼다. 도움이 되는 글, 좋은 글귀들, 나의 마음을 전달할 수 있는 글들을 골랐다.

도시락을 열면 제일 먼저 볼 수 있도록 도시락 위에 넣어서 보냈다. 그때 아들이 그것들을 읽었는지 안 읽었는지에 관해 물어보지 않았다. 어쩌면 읽었을테고 어쩌면 귀찮았을 수도 있다.

읽었냐고 물어보면 강제라고 느껴질 수 있을 것 같아 물어보지 않았다.

세월이 흘러 자녀들은 성인이 되었지만 나는 아직도 사랑한다는 말을 제대로 하지 못했다. 자라면서도 그 흔한 사춘기의 반항도 아무 일 없이 조용히 지나갔다. 부모와 대화를 나누고 속내를 꺼내 놓지 못한 환경을 만들어 버린 것이 아닌가 싶어 미안한 마음이 앞선다.

아이들은 엄마의 허덕거리는 고단한 삶을 보고 느끼고 있었기에 거기에 무엇인가 더 보탤 엄두가 나지 않았을 수도 있다. 얼마나 속을 끓이며 그 시기를 보냈을까 생각하니 미안함이 또다시 가슴에 방울방울 맺혀 흐른다.

사랑하는 나의 자녀들은 즐겁고 행복한 인생이 펼쳐졌으면 좋겠다. 엄마는 항상 너희들 편이고, 너희들을 믿고 응원한단다. 사랑해.

그때 그랬더라면

가장 힘들었던 시기에 내가 만난 책들이 몇 권 있다. 주로 2000년대 초반에 읽었던 책인데 아직도 내 책꽂이에 빛이 바랜 채 남아 있다. 수십 번의 이사를 하면서도 버리지 않고 남겨 두었던 책들이다. 내가 힘들었던 시기에 나를 지탱해 줄 수 있었던 책들이기 때문이다.

나폴레온 힐의 "놓치고 싶지 않은 나의 꿈 나의 인생"이다. 1권에는 꿈을 실현하는 성공철학 13단계와 2권에는 긍정적인 정신자세를 통한 성공철학 10단계가 수록되어 있다. 1990년에 출판되었고 2002년에 내가 접했으니, 세상에 나온 지 30년이 지난 책이다.

지금의 현실과는 조금 다른 부분도 있겠지만 꿈을 실현하고자 하는 마음과 긍정적 자세의 본질은 예나 지금이나 다름이 없다.

정확히 20년 만인 2022년에 이 책을 다시 꺼내 보았다. 다시 펼쳐 든 책 속에는 나의 많은 흔적이 남아 있었다. 밑줄이 그어진 부분, 형광펜으로 칠해져 있는 부분들이 많이 있다. 20년 전 당시 이 책을 읽었을 때는 상당한 충격을 받았던 기억이 생생하다. 하지만 읽고 충격받고 끝나버렸다. 아니다 손에 잡히는 실체는 없지만 나의 정신적인 부분을 상당히 개선해 주었다. 이제 다시 이 책을 곱씹어서 실행하려 한다.

또 다른 책은 제프 켈러의 Attitude is Everything (모든 것은 자세에 달려있다) 이 책의 내용도 요즘 여러 자기계발서에서 공통으로 이야기하고 있는 것들과 대동소이하다.

지금 보니 20년 전에도 제프 켈러는 자세를 바꾸면 인생이 달라진다는 것을 얘기하고 있고 승리의 열쇠는 네트워크를 형성하는 데 있다고 했다. 당시 내 마음에 들어온 것은 자세를 바꾸면 인생이 달라진다는 것으로 압축되어 있다. 지금 읽었다면 아마도 네트워크 형성이 내 맘속의 한 문장으로 남을 테지만 그때는 나의 마음이 만신창이가 되어 있었기에 자세를 바꾸면 인생이 달라진다는 것이 내 맘속에 더 깊이 새겨졌다.

　세 번째 책은 버크 헤지스의 "1루에서 발을 떼지 않으면 2루까지 도루할 수 없다"이다. 불만에 찬 모든 직장인의 필독서라고 책 표지 상단에 적혀있다. 왜 경제적 독립을 선택해야만 하는가, 절대 그 어떤 것도 당연한 것으로 생각해서는 안 된다. 나를 위한 독립 선언문과 내 인생을 책임질 유일한 사람은 나이며, 10년 뒤의 내 자리를 결정할 수 있는 사람 역시 나라는 내용들이 수록되어 있다.

나는 이 책의 제목이 무척 맘에 들었던 기억이 난다. 가끔 내가 인용하기도 하는 제목이다.

몇 권의 책들이 더 있지만 이 세 권의 책들은 출판된 지 워낙 오래된 책이지만 요즘 출판되는 대부분의 자기계발서 내용이 이 세 권의 책에서 거의 많이 언급되는 내용들이다. 시대를 달리하면서 그 표현 방법들만 조금씩 달라질 뿐 본질은 거의 벗어나지 않는 듯하다.

20년이 지난 오늘 뼈저린 후회와 반성이 밀려왔다. 이 책들 속에 있는 말들을 한 가지라도 제대로 실천해 볼걸. 그때 그렇게 감명을 받았다면 왜 끝까지 실천하지 못했을까? 그때 그랬더라면 지금은 어떤 모습일까?

이 책들을 접했을 당시에 나의 마음은 긍정적 마인드로 바꾸는 것이 지상 최대의 과제였다. 하지만 책을 읽는다고 아프고 지친 마음이 하루아침에 바뀌기란 쉽지 않았다. 하지만 나는 내 인생의 중심에 더 이상 힘들고 아픈 상황이 자리잡게하고 초라하게 살아가기는 싫었다. 마음을 바꿔야만 했다. 나의 마음을 바꾸었더니 남편이 해를 거듭하며 이해할 수 없는 경제적인 문제를 자꾸 일으켜도 나는 꿋꿋이 웃으며 지낼 수 있었다.

그래 시간이 지나면 해결할 수 있을 거야, 내 급여도 올라가고 아이들이 다 성장해서 자신들의 길을 찾아가고 나면 남편과 나 둘이 함께 충분히 해결해 나갈 수 있을 거야 라고 생각을 고쳐먹고 즐겁게 살기로 결심했다.

하지만 나의 마음만 바꾼다고 모든 것이 해결되는 것이 아니었다. 30년 전이나 20년 전이나 10년 전이나 지금도 변함이 없는 남편의 행동들로 인해 이렇게 정신적 황무지가 되어가도록 나는 그 상황에 순응하며 살아왔던 것이다.

적극적으로 내 인생을 찾으려고 몇 번의 시도도 했지만 그것이 좌절되자 그냥 환경에 적응하며 또 몇 년 또 몇 년을 살아내고 있었던 것이다.

20년 전에 망치로 내 머리를 얻어맞은 듯한 책을 발견했음에도 그 속에 담긴 진정한 뜻을 헤아리지 않고 얄팍한 한 문장만 기억하며 정작 중요한 것들을 간과했던 결과가 지금까지 이어져 오고 있다.

나 자신 스스로도 내 인생을 찾지 못했고 남편의 행동과 사고방식도 변화를 이끌어내지 못했다. 끊어야 할 때 끊지 못한 우유부단함과 결단력이 부족한 자신을 되돌아보며 후회를 한다.

20년 전 읽었던 책에서 말하던 것을 하나라도 제대로 실천했더라면 그때 그랬더라면 지금은 달라져 있었을텐데라는 후회를 한다.

그리고 지금 다시 결심을 한다. "5년 뒤 10년 뒤 또다시 아! 5년 전에, 10년 전에 내 인생을 찾기로 마음먹었을 때, 그때, 실천했더라면"이라는 후회를 다시 하지 않기 위해 새로운 결단을 한다.

다시 그 책을 꺼내어 읽기 시작했다. 이번에는 행간의 의미를 음미하고 제대로 실천하리라 다짐한다. 간서치는 되지 말아야지.

"1톤의 생각보다 1그램의 행동이 더 낫다."라는 글이 나의 가슴에 비수가 되어 꼽히는 밤이다.

Part 5

나를 찾아가는 여행

가끔은 아무것도 하기 싫을 때가 있다. 청소를 해야 하는데, 책상 위에 쌓여있는 책들을 읽어야 하는데, 컴퓨터 속 파일들을 정리해야 하는데, 스마트 폰 속의 사진들을 정리해야 하는데 하면서...

그리고는 아 오늘은 휴일이니까 그냥 좀 쉬어도 되잖아하면서 오늘 하루만 그냥 좀 쉬어야겠다고 생각하고는 소파에 앉아 밀린 영화나 드라마를 정주행하는 자신을 발견한다.

일명 무위도식(無爲徒食), 말 그대로 아무것도 하지 않으면서 놀고먹는 팔자였으면 좋겠다는 생각을 하면서 가끔은 휴일의 호사를 누려본다. 그리곤 출근하기 전날 밤에 아무것도 하지 않고 흘려보낸 시간을 아까워하며 후회를 한다.

이렇게 사소한 일에서부터 인생의 굵직굵직한 일들까지 우리는 매 순간 선택의 길에서 갈등을 겪는다. 두 갈래 길에서 어떤 길을 선택했는지에 따라 늘 한 쪽 길은 아쉬움과 미련이 남는다. 이제는 결단해야 할 시간이다.

　결단(決斷)이란 결정하고 끊는다는 것이다. 결국은 결단을 내려야 할 시기에 결단하지 못한 시간들이 누적되어 더욱더 상황을 악화시켰고, 남편으로 하여금 계속 나를 비빌 언덕으로 생각하게 만들었는지도 모른다. 결국은 두 사람 모두 더 지치고 힘들고 자녀들에게도 미안한 상황을 만들어 버렸다.

졸혼과 이혼

아이들이 성장해서 서울로 대학을 가게 되었다. 첫째도 둘째도 강원학사에서 1년간 학교에 다녔다. 하지만 당시 강원학사는 아이들이 다니는 학교와 너무 멀기도 하였고 아이들이 모두 예술을 전공으로 하다 보니 새벽까지 작업을 하는 관계로 귀가 시간을 맞출 수가 없는 불편함이 계속되었다.

할 수 없이 가급적 저렴하면서 각자의 학교에 조금이라도 더 가까운 곳으로 각각 원룸을 얻었다. 모아둔 돈이 있을 리 만무한 터라 겨우겨우 대출을 보태어 보증금을 마련했다. 아이들 학비도 내가 연금 대출을 받아 납부했다.

남편은 내가 연금 대출을 받아 학비를 내는 것을 너무나도 당연하게 생각하고 있었다. 그것이 어디 무료로 나오는 돈인가, 어차피 내 급여에서 나중에 전부 공제할 대출금일 뿐인데. 원룸 보증금 마련을 위해 이리 알아보고 저리 알아보면서 전전긍긍하는 나를 보면서도 걱정이나 위로의 말 한마디 건네지 않는다. 물론 속으로는 미안함을 가지고 있었다고 믿고 싶다.

두 아이의 월세가 월 90이 들어가니 남편의 월급날에 처음엔 100만 원을 지원받아서 월세를 충당했다. 그러다가 남편이 돈이 부족하다고 월 50만 원 정도만 가져 있으면 좋겠다고 한다. 그 이유는 나중에 알게 되었다.

아이들이 2년 정도 각자 원룸 생활을 하다가 각자의 보증금에다가 2천을 더 보태서 신림동 주택에 월세가 없는 전세로 들어갔다. 보증금에 대한 이자와 원금을 상환해야 하지만 일단 매달 들어가는 돈이 줄어드니 조금은 살 것 같았다.

그렇게 시간이 흐르는 와중에도 남편은 본인의 다양한 사회활동과 취미생활에 여념이 없었다. 그러다 보니 들어가는 돈이 많아지고 기존의 부채에 부채가 더 늘어나게 되었다. 그 흔한 레퍼토리 "가족들을 위해, 잘살아 보기 위해서" 퇴직 후에 할 일을 준비하고 있다고 한다. 더 이상 무슨 말이 필요하겠는가? 본인이 하는 모든 일들이 가족들을 위해 하는 일이라고 하는데 적극 응원이라도 해야 할 판이다.

그렇게 이혼을 반대하는 남편에게는 배우자의 고통보다 더 중요한 것이 자리를 잡고 있다. 남들의 시선과 평가이다. 젊은 시절 도청에 근무할 당시 몇 년을 제외하고는 고향을 벗어나 타지에서 살아본 적이 없다.

그 많은 친구들과 지인들이 자신에게 가정생활에 실패한 사람이라는 낙인이 찍히기가 싫다는 것이다. 옛날 사람들이 말하는 호적에 붉은 줄이 가기 싫다는 관념이 뿌리 깊게 자리 잡고 있다.

이혼 이야기를 할 때마다 항상 그런 종류의 이야기가 내포되어 있다. 정말 답답하기 짝이 없다. 그때마다 나는 마치 타임머신을 타고 옛날 옛적 사람하고 결혼을 한 기분이 든다. 가족을 위해서라고 말하면서 아내의 말은 듣지 않는다. 본인이 하고 싶은 행동만 하고 머릿속에는 타인이 자신을 바라보는 사회적 시선이 가장 먼저인 사람이다.

하여튼 나는 나만의 공간을 찾아 평범하게 살고 싶었다. 하지만 내가 어디 사는지 이미 알게 되었고 그렇다고 나는 그것을 크게 개의치 않았다. 다만 좁은 동네다 보니 몇몇 직원들과 지인들이 눈치를 채고 있었지만 남편은 남들이 우리의 별거를 모를 거라는 혼자만의 착각을 하며 행동하고 다녔다.

당시 TV에서 "졸혼"이 화두가 되었다. 유명 연예인들의 졸혼 생활이 방영되었고 그것이 오히려 건강한 가정생활을 위해 더 도움이 된다는 이야기들도 많았다.

그래 별거를 "졸혼"이라고 하는 거구나. 죽이네 살리네 미운 감정보다는 공동의 사안들은 함께 해결하면서 각자의 생활을 하는 것이 참 좋은 방법이다. 내가 졸혼을 선택했듯이 말이다.

아이들이 모두 대학생이 되었고 합의 이혼에 대해서 다시 이야기를 나눌 시간이다. 나는 남편에게 분명히 나의 의사를 전달했다. 이혼한다고 해서 위자료 따위를 받을 생각도 없다.

남편이 위자료를 줄 돈이 있을 리도 만무고 본인의 빚만 본인이 해결해 주길 바랄 뿐이다. 나에게 더 이상 손 벌리지 않기만을 바랄 뿐이다. 이번엔 대학 졸업할 때까지라고 미룬다.

몇 해가 더 지나 합의 이혼 의사 확인 신고서를 작성해서 들이밀었다. 남편은 마지못해 사인을 하고 나의 직장 근처에 있는 가정법원 앞에서 만났다.

3주 후, 몇 시에 오라는 설명을 듣고 나왔다. 법원에 가야 하는 날이다. 가정법원 앞에서 만나기로 한 시간이 30분 정도 남아 있었다. 나는 10분 전까지 법원 앞으로 오라고 전화를 했다.

그랬더니 회사에서 갑자기 급한 일이 생겨 다른 지역으로 출장을 가는 중이라고 한다. 직원이랑 같이 장거리 출장을 간다고 한다. 거짓말이 아니라는 것을 증명이라도 하려는 듯 운전하는 소리며 네비게이션 소리가 요란하게 전화 라인을 통해 들려왔다.

왜 하필 오늘인가, 그러면 내가 전화하기 전에 먼저 전화해서 상황 설명을 해야 하는 것 아닌가. 다 안다. 그 시간에 그 자리에 나오기 싫어서 출장을 핑계 삼은 것이라는 것을, 삼척동자도 다 아는 뻔한 거짓말을 둘러댄다.

다시 합의 이혼 신고서를 작성해서 또 한 달 후에 만나기로 했다. 그날도 또 회사에서 갑자기 출장이 생겼다. 그리고 또다시 확인서를 써서 제출했다. 그다음은 회사에서 중요한 회의가 생겨서 해당일에 못 나온다고 했다. 그 해당일에 못 나오면 한 번의 날이 또 있다. 법원에서 1차, 2차 기일을 정해준다. 그러나 정해준 날짜마다 어쩌면 그렇게 긴급출장이며 중요한 회의며, 아주 날을 맞추어서 일이 생기는지 모르겠다.

그러기를 3차례를 반복되었다. 비열하기 짝이 없다. 달리 표현할 말이 없다. 나는 이혼 청구 소송을 해야겠다고 생각했다. 남들은 참 쉽게 이혼하던데, 물론 남들도 내가 모르는 어려운 과정을 겪으며 이혼의 과정까지 왔겠지만, 나는 이혼하는 것도 왜 이리 내 맘처럼 되지 않을까? 소송장을 보내고 뭐 이런 것 저런 것 생각하니 너무 복잡하다. 소송비용도 생각하니 좀 아깝기도 하다. 굳이 소송까지 할 필요 없이 둘이 가서 도장만 찍으면 될 일인데.

긴 시간 동안 법적으로 정리하지 못한 까닭은 나의 우유부단함도 한몫을 차지한다. 그리곤 또 세월이 흘렀다. 그사이 나는 세 번의 이사를 했지만, 남편은 아이들을 핑계로 나의 집을 마치 자기 집 인양 드나들며 일상 생활을 한다. 참 염치는 어디에 쌈싸 먹었는지 뻔뻔하기 이를 데가 없다. 아직까지도 다른 사람들이 우리의 졸혼을 모른다고 생각하고 행동하고 다닌다. 아는 사람들은 다 아는데 다른 사람들이 다 안다는 사실을 본인만 모르고 있으니 참 안타깝기도 하다.

마음을 고쳐먹고 졸혼이나 이혼이나 별 다를 것이 없다는 생각이 들고 있는 차에 다시 한번 이혼을 생각하게 된 사건이 또 발생했다.

본인의 퇴직 몇 해 전부터 취미로 시작한 목공이 점점 스케일이 커져가는 것 같았다. 딸아이가 제일 먼저 기겁하고 말한다. 그냥 취미 활동으로만 하라고 아빠에게 몇 번을 이야기한다. 나도 그냥 취미로만 했으면 좋겠다고 했다.

하지만 지인과 또 동업을 시작하더니 공장 부지 임대료와 나무를 매입하고 공정을 위한 각종 장비를 사들이기 시작하고 급기야 본인의 컨트롤을 넘어서는 범위로 확장되고 있었다. 그러다 보니 버는 돈은 없고 투자만 계속되는 상황이다. 제로 상태에서 시작한 게 아니라 마이너스 상태에서 시작하다 보니 이번에도 가족들을 위해 시작했는데 또 가족들을 괴롭히는 상황이 벌어졌다.

재작년 추석 이틀 전에는 공장에서 기계에 나무를 넣고 자르다가 손가락을 다치는 사고가 발생했다. 다행히 신경을 건드리지는 않았지만, 한밤중에 강릉에 있는 대형병원으로 긴급히 입원하고 봉합수술을 했다. 놀란 아이들은 다음 날 병원으로 와서 아빠에게 또 신신당부한다. 제발 앞으로는 이리 이렇게 저러 저렇게 했으면 좋겠다고 얘기를 한다.

남편은 교묘하다. 그 아픈 틈새를 이용해서, 그러니까 본인이 가장 불쌍하게 보일 기회를 이용해서 돈 이야기를 꺼낸다. 무슨 기계를 들여놓으면 일이 한결 수월해지고 제품도 많이 만들 수 있는데 2천만 원만 만들어 달라고 한다. 왜 돈 얘기를 나한테 하는지...

"나한테 더 이상 돈 얘기 하지 마, 나도 더 이상 대출
받을 곳도 없어, 내가 무슨 조폐 공사인 줄 알아?

그만큼 내가 뒤치다꺼리해서 줬으면 됐지,

어떻게 나한테 또 돈을 해달라고 할 수 있어?"

나는 너무 기가 차서 말도 나오지 않았다.

"서울에 오빠나 언니한테 얘기해서

좀 빌려달라고 해봐"

"미쳤어! 아주 정신이 나갔구만,

오빠가 옛날에 빌려준 돈도 다 못 갚았는데,

왜 친정 식구들한테 자꾸 돈을 빌려달라고 해!

당신네 식구들한테 당신이 빌려!"

참 이해하기 힘든 두뇌 구조를 가진 사람이다. 어쩌
면 저런 발상을 할 수 있을까. 아직도 나에게 돈 구해달
라고 얘기하는 두뇌 구조를 이해할 수가 없다. 내가 전
생에 나라를 팔아먹어도 여러 번 팔아먹은 모양이다.
왜 이런 사람이랑 엮어서 내 인생이 이렇게 찌그러들었
을까. 내가 생각해도 참 한심하기 짝이 없다.

남편은 집요하게 돈 얘기를 했다. 목공을 하는데 무슨 기계가 필요하단다. 그것만 있으면 일이 훨씬 수월해지고 작업도 많이 할 수 있어서 판매도 많이 할 수 있으니 이번만 도와주면 일어날 수 있다고 몇 날 며칠을 얘기한다.

이번에만... 이번에만... 아 또 돌아버릴 지경이다. 내가 계속 안 된다고 하면 또 친청의 언니, 오빠를 들고나올 심상이다.

나는 시중 은행에서는 DSR이 걸려 더 이상 대출이 불가하다. 결국은 카카오뱅크와 보험사에서 고율의 이자를 떠안고 겨우겨우 2,000만 원을 대출을 받아서 건네주고 매달 90만 원씩 갚기로 했다. 매달 납기일이 다가오면 나는 잊지 않고 남편에게 납부해야 할 금액과 일자를 상기시키고 내 통장으로 입금하게 했다. 자녀들에게는 이 사실을 알리지 않았다. 알아봐야 좋을 것이 없다. 안 그래도 아빠에 대한 감정이 좋지 않은데 기름을 부을 필요는 없었다.

2022년 추석 때의 일이었으니 2025년 9월까지 상환해야 한다. 그런데 오늘은 오전에 저녁에 집에 들르겠다고 전화를 한다. 전화도 없이 자기 집인 양 드나들더니 오늘은 오전 댓바람부터 저녁에 집에 들르겠다고 한다.

무슨 할 얘기가 있음을 짐작했지만 그냥 알았다고 했다. 늦은 저녁에 빨랫감을 잔뜩 내려놓고는 심각한 얼굴로 의자에 앉더니 돈 얘기를 꺼낸다. 그런데 1년 3개월 전에 이번이 마지막이라더니...

"수입은 있는데 나가는 돈이 워낙 많아서...
돈을 좀..." 더 묻지 않았다.
"더 이상 나한테 돈 얘기 꺼내지 마!"
그래도 혼자서 나 들으라는 듯 계속 얘기한다.
"쉬는 날도 없이, 밤늦게까지, 정말 열심히 일을 하는데 나가는 돈들이 많아서 이번에만..."

"나 돈 없어,
더 이상 나한테 돈 해달라는 소리 하지 마,

당신의 그 두뇌 구조를 이해할 수 없어.

30년간 내가 해줄 수 있는 것 다 해줬잖아.

지난번에도 그때가 마지막이라고 했잖아.

본인 스스로 감당이 안 되면 이젠 제발 접어,

더 이상 괴롭히지 말고!

그래서 처음부터 취미로만 하라고 했잖아"

"그건 나도 미안하게 생각하고,

그래서 내가 돈을 벌려고 하는데...

서울에 오빠나 언니한테 돈 좀 빌려달라고

해 주면 안 될까?"

"제발 나도 내 인생 좀 살게 해줘.

다 같이 거지 되자고 하는 거잖아. 지금.

하다못해 이젠 애들한테까지도 손 벌리고 있고,

당장 내 집에서 나가 줘"

남편은 몇 분을 더 앉아 있다가 지난번에 가지고 온
세탁 된 옷들을 담아놓은 가방을 가지고 나갔다. 나의

분노 게이지가 또다시 상승했다. 잠을 이룰 수가 없었다. 도대체 무엇이 잘못되었단 말인가. 나는 무엇을 잘못해서 이렇게 해마다 남편에게 돈을 해달라는 소리를 들으며 살아야 하나 싶었다. 여물지 못한 나의 잘못도 있다. 잘못된 시간을 잘라내지 못한 내 잘못이 더 크다.

나는 남편에게 나이가 점점 들어가는데 나무를 하러 산에 다니고 하는 몸을 쓰는 노동강도가 높은 일을 줄이라고 했다. 모아둔 나무들도 서서히 정리하고 기계들도 모두 정리하는 것이 오히려 더 나을 거라고 얘기했다.

친구들이 하는 업체나 가게에 들어가서 아르바이트 같은 것을 하든지, 가능하다면 기간제 근로자나 일자리 사업 같은 것을 다니면서 맘 편하게 용돈벌이하는 것이 더 낫다고 얘기했다.

하지만 여전히 발목을 잡고 있는 부채로 인해 쉽게 접지 못한다. 그러고는 여전히 얘기한다. 다 가족을 위해서라고 가족을 위해서라면 이젠 접을 것은 접고 본인도 스트레스 덜 받고 가족들에게도 스트레스를 주지 않는 방향으로 나머지 인생의 길을 택해야 한다. 한두 살 먹은 어린애도 아니고 남들에게 좋아 보이는 것에 대한 망상에 사로잡혀 있다. 왕년에 잘 나가지 않은 사람이 어디 있겠는가.

이렇게 한바탕 소동을 벌이고 2~3일간 잠잠하다. 나는 본인이 생각을 좀 하고 정리하는 방향으로 가닥을 잡기를 바랐다. 하지만 더 이상 나에게서는 돈이 나오지 않고 친정 식구들에게도 말하지 않으리라는 것을 알았는지 며칠 뒤 남편이 가족 단톡방에 문자를 남겼다. 그대로 옮겨본다.

"벌써 어두워지고 있네! 아빠가 열심히 하고 있는데도 요즘 너무 힘이 드네! 염치 없지만, 아빠 한 번만 도와주면 어려운 고비 잘 넘길 수 있는데... 혼자 헤쳐 나가려니 힘이 좀 부치네!쉬는 날 없이 정말 열심히 하고 있는데... 없이 시작했지만 이제 어느 정도 인지도와

자리는 잡혀가고 있는데 지금은 들어가는 게 있어서 제대로 못 하고 있네! 미안하고 염치없지만... 아빠 한 번만 믿어주고 도와주면 자리 잡고 제대로 일어설 수 있는데... 아무튼 너무 미안하기 그지없네."

그렇다. 앞뒤 전후 사정을 모르는 상태에서 이 문자만 보았을 때는 가족들이 도와주지 않는 나쁜 사람들로 보일 수 있다. 나는 30년을 남편이 저질러놓은 부채 갚고 교통사고 합의금이며 뒤치다꺼리했다. 혼자 헤쳐 나온 게 아니다.

이젠 사회 조년생인 자녀들에게까지 손을 벌린다. 아들에게 빌린 돈은 아직 갚지도 않은 상태고, 딸에게 빌린 돈은 딸이 당장 비용을 지불해야 하는 상황이어서 빌리고 며칠 내에 갚았다고 한다. 톡을 본 딸은 감정에 호소할 상황이 아니고 지금 그 사업을 하면서 투자한 금액, 그간의 수익과 지출, 적자 상황 등을 정확하게 현실적으로 생각하고 판단할 것을 요구했고 아들은 그동안 누적된 아빠의 일들로 인해 더 이상 반응을 하지 않았다.

이번에만, 이번에 만으로 밑 빠진 독에 물 붓기로 수렁에 빠뜨린 사람은 나 한사람으로 족하다. 더 이상 자녀들까지 수렁으로 빠지는 것을 그냥 놔둘 수는 없는 상황이다. 다 같이 파산하자는 얘기밖에 되지 않는다.

이 일로 인해 나는 졸혼과 이혼의 차이를 명확하게 구분이 되었고 법적으로 정리를 해야겠다는 생각을 더욱 굳게 하게 되었다. 이 나이에 이혼을 하나 졸혼 상태나 그게 그거다 싶은 생각으로 참고 살았는데 갈수록 심해진다.

내 인생에서 진작에 매듭을 풀었어야 할 관계이다. 그 생각이 해를 거듭할수록 더 깊어지게 만들고 있다. 졸혼 상태에서도 남편은 사람들의 시선에 자유롭지 못해서 외부에 다정한 부부처럼 보이려고 노력한다. 하지만 외부보다는 내부 즉 수신제가 치국평천하라는 말이 그냥 생긴 말이 아니라는 것을 이제는 알았으면 한다.

바보들은 늘 결심만 한다. 이 말을 내가 여기에 이렇게 사용하게 될 줄은 몰랐다. 이젠 내 인생에서 강제로라도 내보내야 할 시기이다.

내 인생은 소중하고 즐거워야 한다. 소중하고 즐거운 나의 인생을 위해 이제는 진정으로 열정적으로 사는 것처럼 살아보려고 한다.

나를 찾아가는 여행

사회 초년생 시설 방송통신대 입학을 권유하며 공부하라는 조언을 해주었던 것이 좋았고, 다양한 분야의 지인들과의 활발한 교류가 대단해 보였다. 결혼하면 행복해질 것이라는 착각에서 결혼했다.

그리고 살아가는 과정에서 마주치게 된 많은 일들을 헤쳐 나가기 위해 노력했다. 누군가가 나에게 참으로 열정적인 사람이라고 말한다. 참으로 열정적인 사람인 것은 맞다. 열정적으로 살아야만 했었다. 부족한게 많으니 그것을 채워야 했기 때문이다.

30년간 남편이 만들어 놓은 부채를 감당하고 먹고살기 위해 고군분투했던 일들, 직장생활에서 남들에서 뒤처지지 않기 위해 워커홀릭처럼 일했던 시절들이 전부 결핍을 채우고자 한 데서 비롯된 것들이었다.

　　내가 대학원 석사과정을 진학하게 된 것도 퇴직 후의 불안함을 채우고자 장래에 발생 될 결핍을 채우고자 하는 동기도 있었다. 퇴직 후 나를 위한 보험 성격으로 전문성을 쌓고 나를 찾아가기 위한 한 과정으로 선택했는데 그것이 남편에게 또 다른 빌미를 제공했다.

　　내가 대학원 등록금을 낼 만큼 여유가 되니 그리고 매주마다 서울로 오르락내리락 할 만한 형편이 되니 학교를 다니는 것으로 오해의 여지를 남겼다. 나는 한국 장학재단의 학자금 대출이라는 제도를 이용할 수밖에 없는 상황이었지만 말이다. 이것도 연령 제한에 걸려 더 이상 대출 대상 자체가 되지 않아서 많이 아쉽다.

석사 졸업 이후 박사과정을 진학하려고 했지만 과감히 박사과정을 포기했다. 그것만이 이유의 전부는 아니지만 그것이 가장 큰 이유이다. 어떻게 하든 본인의 뒷감당을 하게 만들고, 친정 식구들에게까지 돈을 빌려오라고 하고, 이젠 아이들에게까지 손을 벌리는 남편과는 더 이상 졸혼의 상태도 유지하기 어려운 상황이다. 가족을 나락으로 빠지게 하는 것은 여기까지가 끝이다. 아이들에게까지 이런 상황을 물려줄 수는 없다.

나는 그동안 어쩌면 착한 마누라 신드롬에 걸려 있었는지도 모르겠다.

"이렇게 저렇게 남편이 벌려놓은 부채를 뒷감당하며, 아이들도 키우며, 직장생활도 하면서 열심히 살았습니다. 저는 참으로 착한 부인입니다. 내가 이해해야지 누가 이해하겠어" 라며 착한 마누라들의 레퍼토리를 반복한 게 아닌가 하는 생각이 들기도 한다.

남편에 대한 불만을 가슴에 묻고 살았지만 이젠 더 이상 남편을 탓하지 않기로 했다.

서로의 인연을 매듭짓기로 결정하고 나니 이제는 홀가분해졌다. 앞으로 남은 인생을 행복하게 잘 살기 바란다고 했다.

신은 본인이 감당할 수 있을 만큼의 시련을 준다고 하지만 때론 너무 과분하고 불공평하다는 생각이 들게도 만든다. 하지만 힘든 상황은 우리를 절망의 골짜기로 데려가 모든 것을 포기하게도 만들지만 그것을 극복하고자 하는 의지도 함께 준다고 생각한다.

또래 친구들보다 일찍 결혼하면서 가졌던 나의 생각들, 결혼하면 행복한 가정을 꾸릴 수 있고, 맞벌이를 하면 가난하게 살지 않아도 될 것이라는 평범한 생각들을 무너지게 많든 그 숱한 일들을 지금 다시 바로잡을 수 있다면 얼마나 좋을까? 정신과 상담과 죽음을 선택하는 것이 낫겠다고 생각했던 그 시절, 술에 찌들어 살던 그 시절, 부채를 조금이라도 줄여보겠다고 아등바등 살았던 그 시절, 쇼윈도부부 생활 등

과거의 회한에 얽매어 지금을 파괴하고 있지는 않은지, 나는 이렇게 힘들게 살아왔어요라고 자신에게 스스로 동정을 구하고 있지는 않았는지. 내 마음속에 나를 갉아먹고 있는 감정의 잡동사니를 그대로 방치하고 있지는 않은지...

과거의 기억이 아름다우면 추억이고 괴로우면 경험으로 여기라고, 나에겐 추억보다 쓰라린 경험으로만 점철되어 있어 되돌아 보고 싶지 않다. 하지만 과거의 선택이 지금의 나를 여기에 오게 했고, 지금의 내가 미래의 나를 어디론가 데려갈 것이다.

지금의 나. 미래의 나

나는 어디로 가고 싶은 것일까?

나는 나를 어디로 데리고 가고 싶은 것일까?

나는 지금의 나를 제대로 보고 있는 것일까?

나의 내면의 소리를 그대로 들여다보고 그대로 마주해 보는 시간을 가지려 한다.

나이 60을 바라보는 나이에 이제야 겨우
"나를 찾아가는 여행"을 하겠다는 생각을 한다.
어쩌면 젊은 사람들에겐 이런 나에게
"다 늙어서 이제 뭘 굳이... 그냥 살던 대로 살지"
할 수도 있다. 그냥 살던 대로 살아가는 것이 더 편할
수도 있다. 익숙하니까.

하지만 지금까지 살아온 방법들이 나에게 만족스럽
지 못하고 불행한 결과를 안겨주었고 앞으로도 더 나아
질 기미가 보이지 않는다면 지금부터는 미래로 가는 방
향을 바꾸는 것이 현명한 선택일 것이다.

이제는 오롯이 나를 찾아가는 시간으로 제2의 인생을
시작해 보려 한다.

다시 시작하는 내 인생

끝날 것 같지 않았던 남편과의 관계가 정리되었다. 그렇게 내 인생에서 남편을 보내고 나니 마음이 편안해 졌다. 어떤 인생이 성공한 인생이고 실패한 인생인지는 알수가 없다. 저마다 살아온 환경과 가치판단의 기준이 다르니 정답도 없고 오답도 없는 것이 인생인 것 같다. 다만 그 과정에서 희로애락을 느끼며 그중에 행복을 느끼며 살고자 할 뿐이다.

겉보기에는 근심 걱정 없어 보였지만 다른 사람들은 쉽사리 이해할 수 없는 상황에 내몰리다 보니 나는 부채를 해결하기 위해 고군분투했고 가장 기본적인 먹고 사는 문제에 시달렸다.

먹고살기 위해 직장에 다녔고 퇴근 후에는 많은 일들도 했었다. 그러한 경제적 어려움이 가장 큰 고통이었지만 만약 그 문제가 아니었다면 다른 고통들이 틀림없이 존재했을 것이라 생각한다. 그래서 나는 나의 과거에 좋은 의미를 부여하기로 했다.

30년째 가족을 위한다는 명목으로 본인 위신만 채웠던 남편, 생사를 넘나들었던 아들의 군대에서의 사고, 중국과 미국에서 어린 나이에 향수병을 가슴에 담고 홀로서기 하느라 고군분투했던 딸. 옷장사며 식당 설거지며, 다단계며, 대출 연기 신청할 때마다 겪었던 일들, 좌절하며 겪었던 그 모든 일들이 시퍼렇게 얼어붙은 겨울 하늘만큼 시린 기억으로 남아 있다.

즐겁게 살아야겠다고 마음먹었지만, 시시때때로 나를 찾아왔던 매서운 골바람들이 깨진 유리 조각처럼 내 가슴 곳곳에 파편이 되어 쉬이 낫지 않는 상처를 만들었다. 하지만 그렇게 힘들고 고통스러웠던 과거의 경험들이 차곡차곡 쌓여 나를 더 단단하게 만들었다.

나는 왜 내 인생을 찾을 생각을 하고서도 용기 있게 결단하지 못했을까 하는 후회를 한다. 내 인생은 나의 몫이란 것을 되뇌인다.

지난 30여 년간 나의 발목을 잡았던 남편과의 관계를 정리하고 나니 이제야 겨우 자신을 돌아볼 시간을 갖게 되었다. 그러다 보니 나는 어떤 사람이 되고 싶은지에 대한 문제를 마주하게 된다.

인생이라는 것이 내가 계획한 대로 커리어를 만들고 전문성을 쌓거나 돈이 생기는 것은 아니지만 적어도 나는 이렇게 살고 싶다라는 목표는 있어야 할 것 같다. 거창하지는 않아도 내가 행복하고 즐거운 것이면 족하리다.

남들이 알아주든 알아주지 않든 나는 지금 나의 일에 최선을 다하고 있고 배우고 싶은 것들을 배우고 있어서 행복하다. 나의 배움이 다른 사람들에게 조금이나마 도움을 줄 수 있다면 그것은 더 행복한 일이 될 것이다.

터널은 출구 직전이 가장 어둡다. 이 출구를 지나고 나면 곧 새봄이 온다. 이제 나의 인생도 길고 긴 겨울의 터널을 지나고 새로운 봄을 향한 출구 앞에 서 있다.

나는 사철나무의 초록색이 참 좋다. 봄이 되면 사철나무의 겨우내내 묵은 초록 잎사귀 사이로 싱그러운 봄의 초록이 얼굴을 내민다. 그 봄의 초록은 세찬 겨울의 비바람을 이겨낸 승리의 초록이기에 항상 나의 가슴을 뛰게 만든다.

나는 겨울의 터널을 이겨낸 봄의 초록과 같은 새로운 여정을 출발하려고 한다.

맛이 없는 물처럼, 향기 없는 공기처럼

옛 말에 "기쁨은 나누면 배가 되고 고통은 나누면 줄어
든다"라는 말이 이제는 "기쁨을 나누면 시기와 질투의
대상이 되고 고통을 나누면 나의 허물이 되어 돌아온
다"라는 말로 변했습니다.

지금까지 저의 삶을 돌아보니 즐겁고 행복했던 시간보
다 힘들고 괴로운 일들이 더 많이 그려져 있습니다. 어
쩌면 순간순간 행복했고 즐거웠던 일들이 더 많았지만
제가 그것을 행복이라고 느끼지 못했을 수도 있습니다.

아픈 시간들만 더 깊게 새겨져 남아있는 것은 그것들을
극복하는 과정이 너무 힘들었기에 나를 위로하고 싶은
욕심이 더 크게 자리 잡고 있어서이기 때문일 것입니다.

나의 순탄치 않았던 생활들, 나의 허물을 세상에 드러내기에는 많은 용기가 필요했습니다. 과연 이렇게 꺼내어 놓는 것이 옳은 일일까하는 생각으로 몇 번을 쓰기를 멈추기도 했습니다.

나의 고통을 나누면 위로보다는 약점이 되어 돌아오는 세상으로 변해가고 있기는 하지만 그래도 나의 허물을 벗고 새로운 시작을 하기 위해서는 껍질을 깨야하는 아픔 정도는 기꺼이 감내해야 한다는 생각으로 용기를 내었습니다.

"배고픔을 해결했지만 배아픔은 해결하지 못했다. 물은 맛이 없기 때문에 계속 마실 수 있고 공기는 향기가 없기 때문에 우리가 숨을 쉴 수가 있다."라는 말이 생각납니다.

배아픔은 결국 타인과의 비교에서 옵니다. 학창시절엔 나보다 별로였던 친구가 지금 나보다 훨씬 더 잘 살고, 모든 게 잘 풀리는 듯 보여도 그 친구 또한 꺼내 놓지 못하는 어려움이 틀림없이 있습니다. 그래서 세상은 공평합니다.

지금 어렵고 힘든 상황에 놓여있는 사람이 있다면, 나를 찾아가는 여정에 용기를 내지 못하는 사람이 있다면, 저의 얼룩덜룩한 이야기를 읽으며 "저런 바보 같은 사람이 있네, 나는 이 사람보다 멍청하진 않구나"라고 생각하면서 조금이라도 배 아픔을 해결했으면 좋겠습니다.

기왕에 나온 이 세상인데 내가 먼저 나를 돌보며 행복하고 즐겁게 살았으면 합니다. 그리고 "맛이 없는 물처럼, 향기 없는 공기처럼" 꼭 필요한 존재로 살아가는 우리가 되기를 기대합니다.

글로 옮긴 저의 허물이 당신의 아픈 가슴에, 저의 시린 가슴에 남아 있는 상처를 낫게 해주는 반창고가 되기를 기대합니다. 우리의 인생은 즐거워야 하니까요.